La guérison créatrice

Francine Gendron

francine.gendron@cgocable.ca

Révision littéraire (finale) :
Maryse de Meyer
mdm@ste-agathe.net

Couverture :
Buscio inc.
buscio@bellnet.ca

Mise en page :
Isabelle Lauzon
lauzonisabelle@hotmail.com

ISBN : 2-9808195-1-4 (2e édition, 2006)
ISBN : 2-9808195-0-6 (1re édition, 2003)
Dépôt légal – Bibliothèque nationale du Québec, 2006
Dépôt légal – Bibliothèque nationale du Canada, 2006
Imprimé au Québec, Canada

...À mes parents

À toutes les personnes
qui ont été les acteurs des évènements
ayant motivé ma recherche
car elles m'ont permis
d'en tirer des leçons

Remerciements

La rédaction de ce livre a été, au départ, une aventure solitaire mais elle s'est terminée en équipe. J'aimerais saluer ici toutes les personnes qui en ont fait partie à la fois pour leur soutien moral et leurs conseils judicieux. J'adresse donc mes plus chaleureux remerciements à Danielle Michaud pour son écoute indéfectible durant toutes ces années de rédaction, à Sylvaine Rochon pour son analyse globale du texte, à Danielle Lessard, Linda Lévesque et Patrick Tamas pour la justesse de leurs observations permettant ainsi un texte plus limpide, à Maryse de Meyer pour la touche littéraire finale, à Anne-Marie Buscio et Isabelle Lauzon pour le désign de la couverture, à Isabelle Lauzon pour la mise en page, enfin, à Kate Strecko pour la photo qui figure à l'arrière du présent ouvrage. Je désire également souligner l'enthousiasme d'amis et de collègues de travail concernant cette entreprise, m'encourageant par le fait même à la continuer.

En ce qui concerne la réalisation finale, toutes ces personnes m'ont permis de conserver une distance objective entre mon oeuvre et moi afin de vous offrir le plaisir d'en découvrir le contenu.

Quelques mots sur le livre

L'idée d'écrire ce livre m'est venue lors de discussions avec des amis. Je n'abordais alors que partiellement une expérience acquise au fil de nombreuses années. C'est pour en partager les fruits que je vous la présente maintenant dans sa globalité.

Par la rédaction de cet ouvrage, je ne prétends pas détenir une vérité unique. Je vous rapporte ce que j'ai vu, expérimenté et conclu. J'y traite donc de la vie, vue de l'intérieur comme de l'extérieur - l'une découlant de l'autre -, ainsi que de sa transformation en vue de son amélioration. En fait, il s'agit de l'existence quotidienne considérée sous l'angle de la spiritualité.

L'aventure mystique ainsi entreprise vous est présentée sous trois grandes facettes, correspondant aux différentes parties de ce livre :

1. Le déroulement de la quête - L'instauration presque inconsciente au cours de ma jeunesse d'un isolement psychologique, le cheminement ainsi que les moyens utilisés afin de le briser.

2. Les enseignements reçus - Ceux qui, aux yeux de la spiritualité, sont relatifs aux deux seuls maîtres de l'univers, soit l'ego et Dieu, leurs modes de fonctionnement, leur interrelation... ainsi que les principes directeurs facilitant un dialogue avec chacun d'eux, quelle que soit la voie choisie par le chercheur pour évoluer. Des voies dans lesquelles les dialogues précédemment énoncés peuvent prendre place ainsi que divers phénomènes y sont également décrits et expliqués.

3. Prises de conscience au quotidien - Points de vue en relation avec les enseignements reçus et ce, concernant des problèmes d'actualité tels que le monde moderne et son mode de vie stressant, l'évolution au quotidien, la souffrance et la résistance à celle-ci, l'amour avec un petit et avec un grand A, le suicide, la communication, la connaissance de soi et la créativité. De plus, j'y parle d'un chat qui trône au milieu de toutes ces préoccupations, et qui, à sa façon, est un maître de par toutes les réactions qu'il suscite.

À travers la guérison effectuée, j'en suis venue à comprendre que la vie ne consiste pas uniquement à naître, vivre et mourir. Elle m'invitait surtout à poser un regard sur moi-même dans le but de découvrir ce qui me dirigeait et, finalement, de ressusciter en moi le divin, celui que chacun de nous possède. Selon la spiritualité, celui-ci est Amour mais aussi débordant d'une joie pétillante. Il est le grand guérisseur, peu importe le nom qu'on lui donne, Dieu, Lumière ou autre. L'ego s'oppose nécessairement à ce dernier mais... il ne faut pas s'en faire avec une telle attitude de sa part ! L'application d'enseignements de votre choix, tels que ceux décrits dans ce livre, peut venir à bout de l'ego le plus récalcitrant. Il suffit d'un peu de temps pour cela et de la bonne volonté.

Comme vous le constaterez au cours de cette lecture, je n'ai pu ignorer les sentiments et émotions qui m'ont habitée tout au long de ma vie. Ils sont décrits non pas en vue d'en faire étalage, mais plutôt pour illustrer des concepts afin de favoriser une meilleure compréhension de ceux-ci. Des mises en situation complètent également les explications fournies.

Armé de ces nouvelles connaissances, tant conceptuelles que pratiques, il vous sera plus aisé, tout au moins je l'espère, de diriger votre vie et surtout, d'éviter d'être ballotté par tout ce qui la constitue. Vous pourrez ainsi trouver ou retrouver davantage le sentiment d'en être le véritable maître, tout en demeurant libre de suivre votre propre voie.

En fait, ce livre propose une vision d'ensemble de la spiritualité, associée à des techniques qui, tout en servant votre évolution, peuvent vous aider à solutionner des problèmes de la vie courante.

Partie 1

Le déroulement de la quête

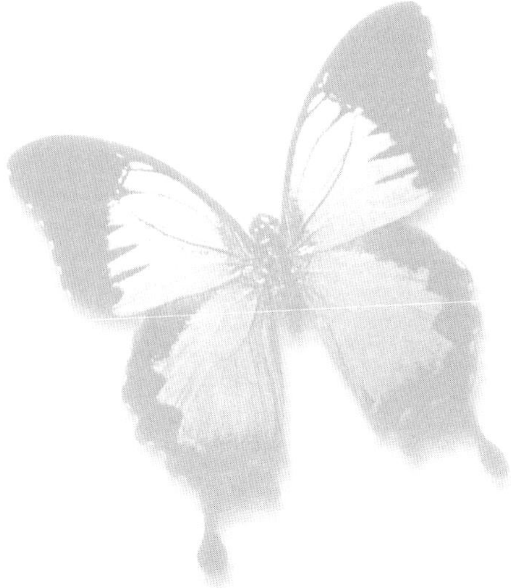

Alors, j'ai entrepris de
nettoyer mon être intérieur.

Chapitre 1

L'émergence de mes souffrances

Je suis née le 6 octobre 1952, sans doute comme tous les enfants, avec des lunettes roses bien plantées devant les yeux. Vous savez ces petites lunettes qui vous font voir la vie en couleur ? Et je dois dire qu'au début, elles ne m'ont pas déçue !

J'habitais la campagne, non pas celle des banlieues mais celle où l'on vit dans une maison entourée, à perte de vue, de vastes étendues, de champs et d'arbres à profusion. J'ai adoré ça.

Une petite enfance heureuse

Je me rappelle encore ces étés où je regardais les violettes s'ouvrir le matin et se refermer le soir. Ces étés où, avec des amis, on ramassait en tas le foin fraîchement coupé et l'on s'amusait à s'y jeter ou à sauter par-dessus.

Je me souviens encore de ce temps où je me levais de bonne heure pour prendre mon déjeuner favori : des oeufs, des rôties couvertes de beaucoup de beurre d'arachide et un chocolat chaud. Par la suite, armée d'un seau, j'allais cueillir dans les champs des fraises, pas celles du jardin mais celles des champs, beaucoup plus petites et sucrées que leurs consoeurs cultivées. Je les équeutais au fur et à mesure car elles s'écrasaient sous leur poids. Autour de chez nous, on trouvait aussi des mûres, des bleuets, des cerises sauvages ; il y avait un étang peuplé de têtards, un ruisseau où jouaient des crapauds, des potagers dans lesquels, avec un copain, on chipait des carottes - et tout cela sous un soleil radieux.

Il y avait aussi Coquine, notre chienne qui m'accompagnait dans mes jeux. Je la serrais dans mes bras et plus je la serrais, plus elle se collait à moi ; j'attrapais pour elle des sauterelles que je lui servais pour repas. Nous avions aussi des chats et durant un court moment, un poussin, provenant du couvoir appartenant au cousin de mon père. Il ne semblait pas en très bonne forme et je suppose que c'est pour cette raison qu'on me l'avait donné. Avec l'aide de ma mère, je l'avais installé dans une boîte sous une ampoule allumée afin qu'il ait bien chaud. Mais ma mère n'a pas voulu, le soir venu, laisser la lumière allumée, alors le lendemain nous l'avons retrouvé mort. À ce moment-là, je lui en ai voulu de ne pas avoir suffisamment pris soin de mon poussin, je jugeais cela bien sûr avec mes yeux d'enfant.

Je me rappelle aussi de mes poupées que je prenais plaisir à coiffer et à habiller de vêtements que j'avais moi-même conçus. Elles avaient leur propre lit dans une garde-robe où, pour mon malheur, des araignées avaient aussi élu domicile. J'en avais tellement peur que parfois je confondais l'une d'entre elles avec de la poussière accumulée en tas ! Heureusement, cela ne se produisait pas trop souvent ! Tante Lucille, à la radio et Maman Fonfon, à la télévision racontaient aux enfants de mon âge de belles histoires qui se terminaient bien.

L'hiver, malgré le repliement sur soi qu'il suppose, était le bienvenu. C'était le temps des soupes chaudes, de la tire Sainte Catherine faite maison qu'on dégustait, de Noël avec ses cadeaux que j'attendais impatiemment.

La cuisine à la maison

Ma mère cuisinait, comme toutes les femmes de son temps. Elle était reconnue pour l'excellence de ses rôtis et de ses tartes, gâteaux et biscuits. Sa cuisine constituait alors la principale distraction de la journée, n'ayant aucune autre activité pour en briser la monotonie. Je trouvais certes du plaisir ailleurs, à l'occasion de sorties par exemple, mais celles-ci étaient loin d'être fréquentes. Je pouvais les compter sur mes dix doigts au cours d'une année.

Comme bien des enfants, les légumes me rebutaient. Ma mère les faisait cuire à l'anglaise, c'est-à-dire, dans l'eau au point qu'ils en perdaient leur fermeté. Il lui arrivait, malheureusement, très rarement, d'oublier de m'en servir et dans ce cas, je n'en parlais surtout pas ! Quelle déception si elle s'en apercevait... Elle estimait que si nous n'avions pas faim pour le contenu de nos assiettes, nous ne devions pas l'avoir davantage pour le dessert. Quelle logique implacable et surtout incontournable pour un enfant qui ne voit pas les choses ainsi.

Il n'y avait que mon frère Michel, l'aîné des enfants, qui mangeait de tout. Quant à mes deux soeurs et moi, nous avions chacune nos goûts bien personnels. Par exemple, ma soeur Monique détestait les petits pois. Lorsque ma mère préparait une salade, elle prenait bien soin d'en mélanger à celle-ci. Au moment de la manger, ma soeur prenait le même soin pour les en extirper un à un, ne mangeant sa salade que lorsque celle-ci n'en contenait plus ! Pour ma soeur Louise, la sainte horreur c'était l'huile de foie de morue ! À cette époque, elle n'était vendue qu'en liquide et ce n'est que des années plus tard qu'elle est apparue en gélules sur le marché. Liquide, on avait bien le temps d'y goûter, au grand désespoir de ma soeur. Cette huile avait un goût de poisson caractéristique à la fois peu défini et fort mais surtout particulièrement odorant. Comme elle ne me dérangeait pas, je trouvais la réaction de ma soeur plutôt drôle. Tous les matins, en hiver, nous devions en prendre afin d'éviter grippes et rhumes propres à cette saison.

Quant à moi, c'était le bouilli de boeuf qui me soulevait littéralement le coeur. Non seulement à cause des légumes trop cuits mais à cause du " doux ", nom que je donnais alors au gras. À cette époque, le gras n'avait pas encore mauvaise presse et il y en avait amplement dans le bouilli. Il faut dire que je me conditionnais au préalable mentalement en me disant combien le gras goûtait mauvais et était visqueux.

Michel et Monique prenaient plaisir à choquer Louise qui avait comme réputation d'être soupe au lait. Peut-être parce que j'étais trop jeune, je ne prenais pas part à ce jeu. J'avais sept ans et demi de moins que mon frère et quatre ans de moins que Monique, la plus jeune de mes deux soeurs. Cette différence d'âge se reflétait également lorsque nous nous rendions à l'école. Ils marchaient beaucoup plus vite que moi. J'avais alors le sentiment d'être toujours derrière les autres. À la maison, je m'attirais leur foudre, particulièrement celle de ma soeur Louise, parce que je me déplaçais lourdement malgré les pantoufles qu'on m'avait données. Étant une lève-tôt, je réveillais donc toute la maisonnée. Bien sûr, comme toutes les petites filles, je voulais devenir grande. Les souliers à talons hauts de Louise, mon aînée de 6 ans, sont alors devenus un objet d'attraction irrésistible. Je profitais donc de toutes les occasions où elle n'était pas à la maison pour les porter. Mais l'ennui c'est que je portais des souliers de largeur B alors qu'elle portait des souliers de largeur A. Imaginez le résultat ! Ses souliers devenaient trop grands pour elle et elle était alors dans l'obligation de les remplacer, tout un problème de taille (sans jeu de mots) puisqu'ils étaient plutôt rares et souvent coûteux. Mais mon attrait pour eux était plus fort que la peur de me faire gronder. Donc, je recommençais, toujours à son insu naturellement.

Le samedi, ma mère préparait les desserts de la semaine dont plusieurs sortes de biscuits. Dès qu'elle les sortait du four, nous en chipions derrière son dos. Elle nous disait invariablement d'arrêter d'en manger sinon nous n'aurions plus faim au souper. Mais nous, les enfants, ne nous soucions guère du souper. C'était les galettes qui nous intéressaient, d'autant plus qu'elles étaient rationnées au repas, comme tous les desserts d'ailleurs, en raison de la santé de mon père.

Mon père a fait sa première crise cardiaque à l'âge de cinquante ans. J'ai vu ma mère l'aider au moment même de son attaque. N'ayant que six ans à cette époque, je n'ai rien ressenti de particulier face à cet événement puisque je n'en connaissais pas la gravité. Conduit à l'hôpital, il a été soigné et mis au régime, compte tenu de son embonpoint apparent. C'est ainsi qu'à la maison, ma mère a commencé à lui préparer des repas faibles en gras et en sucre. Mais il ne pouvait s'empêcher de tricher en pêchant dans les assiettes de ses enfants. Finalement, il a eu l'idée lumineuse, dans ses efforts pour contrôler son poids, de rationner tout le monde sur les desserts, c'est-à-dire lui-même, sa femme et ses quatre enfants dont l'âge variait entre six et treize ans.

Dès lors, nous n'avions droit qu'à un petit morceau de gâteau, un sixième de tarte ou encore deux biscuits chacun. Vous pouvez vous imaginer la pression qu'il a subie de notre part pour en avoir davantage. Nous, le régime, on s'en fichait ! Heureusement pour nous, mais peut-être pas pour lui, il cédait fréquemment à nos demandes et parfois se laissait tenter par un gros morceau de gâteau aux épices recouvert d'une mince couche de glaçage qu'il arrosait abondamment de mélasse verte. Et c'est là, entre autres, que mon père et moi nous nous accordions parfaitement. Sur d'autres points, c'était moins évident... " Francine, tu seras notre bâton de vieillesse " aimait-il me répéter. Mais dans ma tête, il n'en était pas question, même si je l'adorais. Cependant, je gardais tout de même mon opinion à ce sujet.

Toute la famille aimait bien les Whippet de Viau. J'ai gagné beaucoup à les connaître, non pas tant au niveau de leur goût mais plutôt de ce que l'on pouvait en faire. Ce sont de petits biscuits ronds auxquels on a ajouté une mince couche de confiture de fraises et qui sont surmontés d'un dôme à la guimauve. Le tout est enrobé de chocolat, un délice ! Les soirs où nous en recevions et, une fois leur distribution terminée, nous exercions alors notre sport favori qui consistait à écraser ceux du voisin. Pouf !... pouf !... et pouf ! Pouvait-on entendre! Par la suite, tout le monde savourait tranquillement ses Whippet écrasés avec la satisfaction du travail accompli. Ces biscuits nous offraient donc, pour quelques sous, beaucoup de plaisir !

La religion

La religion occupait une grande place chez nous. Après le souper, c'était le chapelet à la radio. J'ai tenté maintes fois de m'y soustraire en sortant rapidement de table mais ma mère ne m'oubliait jamais le moment venu. J'étais rappelée à l'ordre et je devais, à genoux, comme tous les autres membres de la famille, réciter le chapelet en harmonie avec la voix monocorde d'un officiant tout dévoué à cette cause.

La messe dominicale était incontournable et durant le carême, j'allais aussi à la messe du matin. Je partais de très bonne heure de chez moi, habillée chaudement, avec un thermos rempli de chocolat chaud et des rôties couvertes de beurre d'arachide. J'assistais à la messe et, une fois celle-ci terminée, je me rendais à l'école où je déjeunais.

C'était aussi l'époque où le curé du village sermonnait en chaire les femmes qui ne portaient pas de chapeau à l'église. Ce curé avait une vision très extérieure de la relation que nous devions avoir avec Dieu. Ses paroissiens le trouvaient d'ailleurs plutôt étroit d'esprit, ce terme masquant probablement des propos plus acérés à son égard. L'été, il renvoyait chez elles les jeunes filles qui se promenaient en short sur les trottoirs. Heureusement, sa large soutane noire le trahissait de loin et nous incitait à mettre le plus de distance possible entre lui et nous. Mon souvenir le plus mémorable à l'égard de ce curé est celui où il a carrément enguirlandé ses paroissiens parce que ceux-ci préféraient aller à la messe à la paroisse voisine. Il déversait probablement sur eux sa frustration face à son incapacité à les contrôler. Les paroissiens de l'époque savaient bien que le fait de ne pas aller à la messe entraînait un péché mortel les bannissant du paradis. Mais que choisir entre ce curé qui accompagnait ses rituels religieux d'un sermon de soixante minutes et celui de la paroisse d'à côté qui n'y consacrait que cinq minutes ? Alors, nous allions à la messe de l'autre paroisse, l'investissement étant moindre en termes de temps pour un salut identique. Force est de constater que les calculs d'efficacité ou de rendement chez l'être humain ne datent pas d'hier et peuvent concerner un sujet aussi saint que celui de Dieu !

Dans le fond, il n'y avait rien de bien terrible à tous ces rituels religieux. Faisant dès le plus jeune âge la différence entre Dieu et ses représentants bien humains, j'ai pu en supporter les excès sans une trop grande révolte et conserver, tout au moins je le crois et je l'espère, un oeil objectif par rapport à leurs actions. J'étais croyante jusqu'à l'année où je me suis déclarée athée, sans logique apparente, en réponse à une impulsion surgissant d'on ne sait d'où ni pourquoi.

Il ne m'est pas venu à l'esprit, à l'époque, de me questionner sur la place de Dieu dans tout cela. Puis un jour, alors que je ne m'y attendais pas, j'ai regardé ma main et j'y ai vu une vie ; une vie indépendante de mon corps et qui ne pouvait s'éteindre avec sa mort. Je n'ai jamais mis en doute tout au long de mon existence ce que j'avais perçu ce jour-là. Cette vie était-elle Dieu ? Je ne me suis pas posé la question à l'époque, acceptant tout simplement l'expérience telle qu'elle était sans plus.

Une vie familiale qui a basculé

Notre vie familiale a basculé le 24 juin de l'année 1962. Ce matin-là, je me suis réveillée seule dans le lit que je partageais avec ma soeur Monique. Louise, mon autre soeur, y était assise avec ma mère, parlant et pleurant tout bas. Je me doutais bien que quelque chose s'était passé. Cette nuit-là, on avait sonné à la porte de la maison. C'était le curé qui, accompagné du médecin, venait dire à mes parents que Monique, venait d'avoir un accident. Elle, qui marchait face aux voitures comme nos parents nous l'avaient appris, avait été frappée par un chauffard. Celui-ci, complètement saoul, avait emprunté la voiture d'un ami. Arrivé au village, il avait changé de voie, renversant ma soeur et la projetant, selon des témoins, à près de cent cinquante mètres dans les airs. Le médecin a vite donné à mon père une injection pour lui permettre de surmonter le choc. Ma soeur est morte environ une heure plus tard dans l'ambulance qui la menait à l'hôpital.

Au salon funéraire, j'ai vu mon père éclater en sanglots. Il exprimait, à ce moment-là, la peine que chacun ressentait sans oser l'afficher de façon aussi ostentatoire. En écrivant ces lignes, je me rends compte que j'ai encore de la peine à ce sujet. Chose nouvelle pour moi, je ressens maintenant de la colère vis-à-vis des personnes qui commettent un tel crime.

Quel Dieu pouvait permettre une telle chose ? Je n'aurais pas fait cela à ma poupée et ma soeur était plus qu'une poupée. Je la pleurais tout en gardant mes larmes pour moi. J'étais isolée dans ma peine tout en ignorant que je l'étais. Dans les faits, cet événement n'a fait qu'accroître une solitude déjà présente puisqu'à la maison on ne parlait pas de ce que l'on ressentait.

J'ai longtemps pensé que, pour notre famille, tout avait basculé à partir de ce moment-là. Dans les faits, cela n'était pas tout à fait exact et c'est ce que j'ai découvert avec le temps.

Mon père avait l'esprit d'un entrepreneur, le jugement et la patience en moins. Il écoutait les avis de tous pour finalement n'en faire qu'à sa tête. Alors, il allait d'emploi en emploi et de projet en projet. Ma mère, quant à elle, possédait le jugement et la patience mais l'esprit d'entreprise en moins. Elle identifiait aisément les difficultés inhérentes à un projet. Heureusement pour leurs enfants, ils gardaient leurs discussions et désaccords pour eux. Mais, il n'y a pas eu de synergie entre eux à savoir de reconnaissance et d'utilisation de leurs forces respectives. Quand je regarde en arrière, je trouve cela dommage car ils s'aimaient, je crois, véritablement.

À la maison, l'insécurité financière régnait donc en maître. Pour joindre les deux bouts, ma mère allongeait les repas avec de la soupe et des sauces. Elle décousait des vêtements que ses soeurs lui donnaient et les retaillait pour nous en faire des neufs. C'est pour cette raison que je n'ai eu ma première robe neuve qu'à l'âge de la pré-adolescence. Elle était rouge et le rouge est une de mes couleurs préférées. Elle a été et est encore un des plus beaux cadeaux que la vie m'a fait.

À l'âge de six ans, j'ai fait mienne cette insécurité. Je me souviens encore très bien de m'être dit à propos de mon père " Quand j'aurai son âge, je ne vivrai pas cela ". Je ne me doutais pas à ce moment-là à quel point je serais prête à mener une course effrénée pour ne pas vivre la même chose que lui au même âge. Je ne savais pas non plus que cela m'amènerait à prendre de très mauvaises décisions, aveuglée par ma propre peur de subir à mon tour une telle situation.

Alors que j'avais douze ans, mon père a acheté un restaurant dans lequel lui et ma mère ont travaillé six jours par semaine. Je me suis donc retrouvée seule à la maison, même tard le soir et les fins de semaine. Je préparais mes repas, repassais mes vêtements et me soignais seule. Quand j'ai eu mes premières règles, je ne savais même pas ce qui m'arrivait. Je me suis dit " Bof, une autre chose qui va passer ", ce qui d'ailleurs ne fut pas le cas et pour cause !

Certains jours de congé scolaire, j'accompagnais parfois mes parents au restaurant. Il n'y avait rien à y faire sauf lire les journaux à potins. Pour me désennuyer, je marchais jusqu'au centre commercial le plus proche pour en visiter les magasins. Un jour, j'y ai vu un beau livre de contes plein d'images. Il coûtait 3,60 $, ce qui était cher à cette époque pour un livre. Il était un peu enfantin pour mon âge, mais j'ai toujours été attirée par les belles images. Alors, je me suis mise à économiser mon argent pour me le procurer, à coup de 5 ¢ et 10 ¢ à la fois. J'ai pu ainsi rassembler la somme nécessaire à son achat. Il a été un autre très beau cadeau que la vie m'a fait.

Je me sentais bien seule à la maison et je ne savais que faire de moi-même. Je dessinais un peu, motivée davantage par le désir d'imiter ma soeur Monique dont j'avais conservé précieusement les dessins plutôt que par passion véritable. À cette activité, s'en ajoutait une autre l'été, je passais mes journées sur une balançoire à écouter de la musique, car mes copines de classe habitaient d'autres villages que le mien. J'avais dépassé l'âge de la cueillette des fraises et des sauts dans les bottes de foin. Dans l'ensemble, je regardais beaucoup la télévision, mais à la longue, je me suis dit que cela n'était peut-être pas très bon pour moi et je me suis disciplinée à ne la regarder que dans la soirée.

Le soir, j'avais parfois peur d'être toute seule à la maison, d'autant plus que celle-ci craquait fréquemment. Je me rappelle de ces soirs où, du premier plancher sur lequel je me tenais, j'entendais des bruits venant de la cave. Pour me sécuriser, j'en attribuais la faute à notre chatte. Là où mon raisonnement était factice, c'est que je savais que ce ne pouvait être elle, puisqu'elle était près de moi. J'en étais consciente et, en même temps, je lui en attribuais la faute afin d'étouffer ma propre crainte, tout en sachant très bien que mon raisonnement était faux. Mon père est mort le 4 octobre 1966, soit un peu plus de quatre ans après Monique. Je savais que cela devait arriver un jour, mais pas aussi rapidement. Il avait déjà subi deux crises cardiaques et, selon ma soeur Louise qui étudiait pour devenir infirmière, la troisième lui serait nécessairement fatale. Il est mort chez nous, dans notre salon, alors que je l'y rejoignais pour lui dire que le souper était prêt. Il était assis dans son fauteuil préféré, se tenant la poitrine. Quand je l'ai vu, j'ai éclaté en sanglots sachant que cela ne pouvait qu'être sa fin. J'ai quand même été chercher des secours chez des parents et voisins, conduite par l'énergie du désespoir. Lorsque nous sommes tous revenus à la maison, mon père a laissé échapper son dernier souffle.

À ce moment-là, j'ai ressenti tellement d'impuissance. C'était d'autant plus douloureux que cela impliquait l'homme que j'aimais le plus au monde à cette époque. Bien que ma mère savait que je pleurais mon père, jamais elle ne m'a consolée. Elle avait d'ailleurs agi de la même façon lors de la mort de Monique, contenant ainsi sa trop grande peine en évitant le sujet. Il faut aussi souligner qu'ignorer et taire nos sentiments était la façon de vivre qui prévalait dans notre famille. Ce n'était pas par méchanceté mais plutôt par ignorance ou peur de donner de l'importance et de parler de ce que l'on éprouvait intérieurement.

L'isolement dont je souffrais s'est donc accru. À un niveau intérieur, il était bien réel alors qu'à un niveau extérieur, il n'était pas visible. Je fonctionnais normalement ; je faisais ce que l'on me demandait. Je réussissais à l'école, je parlais à tout le monde de tout et de rien mais certainement pas de ce que je ressentais puisque j'en étais venue à l'ignorer moi-même.

Quelques mois avant sa mort, mon père avait vendu le restaurant, n'ayant pu le rentabiliser. Il s'était trouvé par la suite un emploi et, heureusement pour nous, ma mère aussi. Elle ne gagnait pas un gros salaire mais il a été suffisant, une fois mon père disparu, pour que l'on puisse vivre convenablement. Nous sommes déménagés à Montréal dans une maison appartenant à un de mes oncles qui nous la loua à un prix très raisonnable. Louise est revenue habiter avec nous, elle nous avait quittés pour suivre son cours d'infirmière. Alors que les repas auraient dû constituer, pour ce qui restait de notre famille, un échange de propos conviviaux entre nous, ils étaient plutôt l'occasion, pour ma soeur, de monopoliser la conversation. Comme mon frère et moi n'en faisions pas cas et que ma mère ne s'y opposait pas, nous nous exprimions donc très peu.

Ma mère n'était absolument pas consciente des enjeux psychologiques entre les membres de notre famille. Affectée depuis longtemps par les événements, elle était complètement dépassée par ceux-ci. Elle allait au plus pressé comme tant de femmes et d'hommes occupés. Ainsi, ils en viennent à passer par-dessus leurs sentiments et leurs émotions. Peu habitués à les côtoyer, ils ne savent que faire lors de l'émergence de ceux-ci. Ils ne savent pas non plus à partir de quels critères prendre une décision, tout en faisant la part des choses entre leur responsabilité et celle des autres.

Ma mère était une organisatrice hors pair pour le quotidien, mais il n'en demeure pas moins qu'elle devait faire face seule, depuis la mort de mon père, à de nombreuses responsabilités telles que l'entretien et la location de notre maison familiale, sans compter l'avenir professionnel de mon frère et l'instabilité émotive, de plus en plus évidente, de ma soeur.

Pour se décharger un peu, elle nous demandait de faire notre part. L'ennui, c'est qu'étant la plus conciliante à ce propos, j'étais souvent la seule à contribuer. Je faisais le ménage, l'épicerie, la vaisselle et je préparais souvent les repas. C'est alors devenu une habitude pour moi de tout accomplir sans demander l'aide de personne.

Je ne suis jamais entrée en conflit avec ma mère et ce n'est pas par grandeur d'âme, sagesse ou maturité, mais plutôt par peur du rejet. Je n'en étais pas vraiment consciente et ce n'est que des années plus tard que je l'ai découvert.

Ce déménagement m'a toutefois permis d'étudier dans la branche qui me plaisait. Il a donné également l'occasion à ma mère de modifier, dans la mesure du possible, le cours d'actions passées. Plusieurs années auparavant, mon frère s'était vu offrir par mes parents de suivre son cours classique, ce qui, à cette époque était prisé et coûteux. Mais il n'y était pas intéressé, étant davantage d'une nature manuelle qu'intellectuelle. Il lui a préféré un cours en ébénisterie, ce à quoi mes parents ne se sont pas opposés à la condition qu'il finisse d'abord ses études secondaires. Par malheur, une fois celles-ci terminées, le cours d'ébénisterie n'était plus offert. Louise de son côté désirait ardemment faire ses études classiques mais mes parents ont refusé. Dans leur mentalité, elle n'aurait pas à faire vivre une famille ; elle n'avait donc pas besoin de ces études. Suite à notre déménagement à Montréal, ma mère a soutenu financièrement mon frère dans ses cours à l'École des Beaux Arts de Montréal et ma soeur dans des études plus avancées au niveau de l'infirmerie.

C'est à l'université que j'ai connu mon futur mari. Bien qu'attirée par lui, il y avait une petite voix en moi qui me disait que quelque chose n'allait pas. Mais, je n'y ai pas prêté attention, habituée à ne pas tenir compte de ce que je ressentais.

Après un an de vie commune, mon conjoint m'a demandé en mariage. Je n'y tenais pas, n'en voyant pas la nécessité, compte tenu que nous n'avions pas d'enfants. Le mariage ne représentait à mes yeux qu'une protection pour ces derniers. Il en a presque pleuré. J'ai fini par céder, fatiguée de cette demande incessante que je ne comprenais d'ailleurs pas. Ensuite, je me suis convaincue que ce n'était au fond qu'une formalité.

Je m'étais engagée dans cette union pour le meilleur et pour le pire. J'ai supporté, tout au moins dans les débuts, d'accomplir plus que ma part. Les demandes que j'adressais à mon mari, afin qu'il accomplisse la sienne dans notre quotidien, faisaient l'objet d'indifférence et parfois même de rires moqueurs. Il me disait qu'il oubliait ce qu'il avait à faire et que je n'avais qu'à le lui rappeler. Un jour, n'en pouvant plus de son indifférence, je l'ai mis au pied du mur afin qu'il s'explique davantage.

Ses réponses et confidences m'ont laissée bouche bée mais, m'ont expliqué son attitude à mon égard. Il ne m'avait jamais aimée durant nos huit années de vie commune. Il m'avait demandé en mariage simplement pour agir comme son père et, dans tout cela, j'avais été sa bouée de sauvetage. Sans doute n'en était-il devenu pleinement conscient qu'au fil des ans, n'osant au tout début se l'avouer. Le fait de tomber amoureux d'une autre avait simplement accéléré la fin inéluctable de notre union. Visiblement à l'aise avec moi après ces aveux, il a admis m'avoir rendue responsable auprès de ses parents de ses courtes visites chez eux. Certes, ce n'était pas l'amour fou entre eux et moi, mais je n'avais jamais refusé de les voir ni de les recevoir. Je lui avais d'ailleurs rappelé, à maintes occasions, qu'il pouvait les inviter à sa convenance. C'est ainsi que j'ai appris, mais de dure façon, qu'un engagement, même aussi important que le mariage, peut ne rien signifier. Quant à moi, je ne l'aimais plus depuis déjà un bon moment. Si je n'avais pas agi plus tôt, c'était par peur d'être mal jugée, étant à la source d'une rupture, et aussi par insécurité financière. En n'exigeant pas, je ne m'y exposais donc pas. Ma nature intellectuelle avait pris le dessus sur mes sentiments et mes émotions. Cela m'a été très utile puisque, n'ayant pas à faire face à mes peurs, j'évitais d'être dans l'obligation morale d'agir. Cependant, ce ne fut pas sain ni pour mon mari, ni pour moi.

J'étais quand même confrontée à un échec que je ne faisais pas nécessairement mien mais duquel je suis sortie complètement vidée. Je n'étais plus qu'une forme creuse. En même temps, j'étais submergée par un nombre incalculable d'émotions pressées de prendre le contrôle de ma vie, cette vie qui n'avait soudainement plus de sens pour moi.

C'est à cette même époque que je me suis intéressée à un livre de Jane Roberts [1] parlant du monde intérieur et invisible qui nous habite. Fascinée par ces principes, je n'en voyais cependant pas d'application concrète dans ma vie. Mais l'existence, elle, à travers cette séparation venait de me faire comprendre qu'il y en avait une. Ainsi bien qu'avec les années les difficultés s'étaient aplanies entre mon mari et moi, tout n'avait été qu'indifférence. Il me restait donc à aller au-delà des apparences.

À 30 ans, je me retrouvais totalement désorientée, sans aucun repère. Il y a dans la vie des évènements qui la font basculer alors qu'on ne s'y attend pas. Mon divorce était l'un de ceux-là.

Une situation traumatisante n'arrive souvent point seule. Quelques mois après ma séparation, mon employeur décidait de me muter à un autre poste sans demander mon avis, ni requérir mon approbation. Selon mon superviseur, c'était ainsi qu'on traitait les employés performants.

J'ai eu alors la sensation d'être un élastique que l'on avait étiré au maximum. J'étais proche de l'éclatement, retenant de peine et de misère des émotions dont le seul objectif était de sortir de mon être. J'avais accordé tant d'importance à des choses que je croyais solides et qui ne l'étaient pas. Dans tout cela, je ressortais avec le sentiment d'avoir été trahie.

Je sais que je ne suis pas la seule à avoir vécu de pareilles déceptions. Je voudrais simplement dire que, si cela a été le cas pour vous, je vous comprends dans ce que vous avez ressenti à ce moment-là.

Chapitre 2

Vers la guérison

C'est alors que j'ai entrepris de nettoyer mon intérieur, c'est-à-dire de me débarrasser des pensées, sentiments et émotions négatifs qui m'habitaient... Trois petits points de suspension qui en disent long ! Ce n'était pas vraiment ce que je voulais faire mais, peu à peu, inconsciemment, j'ai commencé à apprivoiser cette idée.

J'étais psychologiquement en survie et, afin de ne pas sombrer, il me fallait sortir de chez moi au moins une heure par jour. Fort heureusement au cours de cette période difficile, j'ai trouvé chez une amie une oreille attentive, me permettant ainsi d'être moins seule dans le désarroi que je vivais. Traversant elle aussi un divorce, elle tentait d'en comprendre le sens et de changer sa vie.

Mes premiers pas

Elle me parla d'un organisme américain appelé EST [2] et des ateliers qu'il offrait sur la création de notre monde personnel. Ce mouvement cadrait bien avec ma personnalité déjà portée vers la psychologie plutôt que vers d'autres moyens de résoudre mes problèmes. J'avoue aussi que j'ai simplement saisi l'occasion qui s'offrait à moi.

J'ai ainsi participé à un atelier réparti sur deux fins de semaine durant lequel je n'ai presque pas dormi. L'être humain y était représenté comme une machine fabriquant son propre monde à partir des limites qu'il s'impose. Ce concept peut être simplement illustré par la phrase " Je ne peux me baigner parce qu'il pleut ". En remplaçant la locution parce que par la conjonction et, on obtient " Je peux me baigner et il pleut ". L'être humain est alors en mesure d'élargir ses possibilités de vie soit, dans l'exemple suggéré, de se baigner malgré la pluie.

Il me restait donc, avec ce principe en tête, à explorer ma vie. Cette notion ne m'était pas étrangère, y ayant déjà été exposée lors de plusieurs lectures personnelles. Intellectuellement, je le comprenais. Concrètement parlant, je ne l'appliquais tout simplement pas dans ma vie. Quelques années plus tard, je me suis rendu compte que je ne voulais pas l'appliquer. C'était là le vrai problème, je n'avais pas vraiment l'intention de changer. Cela m'aurait obligée à faire face non seulement à mes croyances mais surtout aux sentiments et aux émotions qui en découlaient. Je cherchais davantage un moyen d'améliorer ma vie sur une base extérieure plutôt que de me transformer intérieurement.

Je croyais qu'effectivement je créais mon monde, celui qui allait bien. Quant à celui qui allait mal, c'était la faute des autres ou des circonstances. Je n'osais m'avouer une telle façon de penser. C'est encore une amie qui, à sa façon, me l'a fait remarquer. J'attribuais à mon ex-conjoint la responsabilité totale de l'échec de notre relation, en oubliant que j'y avais moi aussi participé. J'avoue ne pas avoir trop bien accepté cette remarque. Mon orgueil en prenait un coup. Qui veut, de façon délibérée se donner mauvaise figure ? Plus tard, j'ai dû admettre que cette amie avait raison.

La toile d'araignée que je m'étais tissée

L'acceptation de ma responsabilité face à ma vie a été lente, même très lente. Il m'a fallu beaucoup d'années pour simplement être capable d'y faire face.

Au fil de mes réflexions, je me suis aperçue que j'avais tenté d'être aussi parfaite que possible, croyant que c'est seulement à ce prix que je serais aimée et que j'éviterais le rejet. La perfection telle qu'on me l'avait enseignée pourrait se résumer ainsi : " Ne demande pas car cela dérange" et " Fais plus que ta part ". Lorsque les circonstances m'obligeaient à adresser une demande, jamais je n'exigeais, même lorsque cela aurait été nécessaire. Cette perfection constituait ma toile d'araignée, car elle emprisonnait tout mon être dans son expression, limitant ce dernier par le fait même.

Évidemment, je me dissimulais tout ceci et je suis même allée plus loin : je me voilais même le fait que je me le cachais ! Ceci avait un petit côté confortable puisque cela m'évitait d'agir. Sachant qu'une action entraîne une réaction, je préférais faire l'autruche. Je pouvais alors affirmer, sans en douter le moins du monde, que je n'étais pas responsable de ce qui m'arrivait.

Certes, nous ne contrôlons pas tous les aspects de notre vie, mais il nous appartient de les comprendre puis, en toute conscience, de décider d'agir ou non. C'est ce que je n'avais pas encore compris. Ainsi par rapport à mon union, je n'avais pas fait de mise au point régulière, ni avec moi-même, ni avec mon conjoint. En conséquence, je traînais constamment des incertitudes et des insatisfactions non résolues, évidemment. J'avais préféré une vie et un mariage aux liens indifférents à une communication réelle, J'avais choisi de fuir mes problèmes de couple plutôt que de leur faire face mais, avec le temps ils m'ont rattrapée. Finalement, j'ai dû vivre ce que je craignais tant, c'est-à-dire le rejet ainsi que le sentiment qui y est rattaché et qui était en moi. Ainsi, tout ne s'est pas passé dans ma vie comme je l'avais imaginé.

L'émergence de mon intérieur

J'ai participé à d'autres ateliers avec EST mais aussi, avec d'autres mouvements tels que les Sciences Cosmiques [2], le Centre Universel du Verseau [4] et un mouvement non officiel regroupant des médiums. C'est ainsi que mes propres souffrances ont commencé à émerger. Elles constituaient alors un torrent que j'avais peine à maîtriser.

Je me rappelle encore, lors d'un atelier, ma difficulté à partager ce que je ressentais au plus profond de mon être. J'avais le sentiment de n'être rien. Je ne voulais pas pleurer alors que tout mon être m'y poussait. Je désespérais à l'idée de laisser couler mes larmes et de les montrer à d'autres que moi-même. Je ressentais aussi de la gêne à exprimer des sentiments profonds, d'autant plus que je venais d'un milieu familial où le rationnel avait préséance et se devait d'éclairer à lui seul tous les éléments psychologiques de notre vie. Notre vécu était alors ramené au sol, empêchant toute imagerie ou fantaisie, tout envol ou rêve autres que ceux d'un milieu où tout était tracé d'avance.

Ce vide au fond de moi

Lorsque je n'ai plus eu d'autre choix que de descendre au coeur de mes souffrances, j'ai senti un immense vide au fond de moi. Tenter de le décrire est impossible, puisque le vide, ce mot le définit si bien, est... vide.

Je me suis sentie alors aspirée vers le bas, dans un

mouvement incessant, d'une telle force que je me suis demandé comment il se faisait que je ne l'avais jusqu'à ce jour jamais ressenti. J'avais l'impression d'être dans un tourbillon, complètement seule, sans aucun lien avec le monde.

La course à l'espoir

La vie avait enfin fait en sorte que je n'ignore plus ce qui était en moi. Cependant, j'étais plus que jamais en mal de prédictions, positives bien sûr, qui m'aideraient à rester à flot et à survivre, même si je sentais au fond de moi qu'elles ne pouvaient être que des béquilles.

Je me suis alors mise à courir les médiums, cherchant des solutions à mon mal de vivre. J'avais besoin de me faire dire de belles choses, ne trouvant pas la vie en elle-même très agréable mais espérant en même temps qu'elle le deviendrait.

J'ai prié avec les médiums, j'ai chanté avec eux au cours de ce qui pourrait être apparenté à des services religieux. Pas de sermon, mais plutôt des activités visant à se mettre en état de recevoir une communication. Par la suite, les médiums nous livraient des messages.

J'ai également suivi un cours visant à développer la médiumnité en soi et à l'intérieur duquel il était reconnu que les voyants peuvent errer dans leurs dires. Avec le temps, j'en suis arrivée à la conclusion que la médiumnité n'est qu'une ouverture à des choses invisibles. La qualité d'un médium dépend du niveau d'évolution de sa conscience. Étant lui aussi un être humain, il est sujet à faire des erreurs, soit dans la perception du message, soit dans son interprétation. Je n'ai pas d'histoires scabreuses à vous raconter à ce propos, n'en connaissant pas. Oui, dans certains cas, j'ai été déçue de leurs services mais je l'ai aussi été dans d'autres domaines de la vie. Autrement dit, le domaine de la médiumnité est un domaine tout simplement humain.

Lors de cette formation sur la médiumnité, j'ai pu assister à quelque chose pour le moins inusité. Lorsque sonne l'heure de notre mort, nous ne cessons pas d'exister, semble-t-il. Notre être comme entité énergétique se sépare de notre corps pour se diriger vers la Lumière. Or, pour diverses raisons, certains ne le font pas. Dans ce cas, un médium peut les aider à y parvenir. Dans ce qui m'a été permis d'observer, deux d'entre eux travaillaient de concert à cet effet. Le premier a permis à un défunt de s'exprimer à travers lui, frissonnant et reflétant l'état du mort qui, dans ce cas-ci, ressentait encore les affres de la maladie qui l'avait emporté. Le second, extralucide, lui a alors demandé de fixer la flamme d'une chandelle, lui suggérant de monter avec celle-ci afin qu'il rejoigne la Lumière et retrouve des personnes chères. Si un défunt ne consent pas à effectuer un tel périple, il continue, dans certains cas à errer autour de la terre, généralement dans des lieux connus de lui et malheureusement, il demeure attaché à une histoire personnelle qui n'existe plus. Par contre, il est possible que ce délai concernant la rencontre avec la Lumière lui permette d'achever sa propre mission personnelle sur terre.

Ce qu'il faut aussi savoir c'est que l'aide qu'un médium peut nous apporter varie selon la spécialisation du médium lui-même. Dans mes premières années d'exploration de ce monde, j'étais plutôt attirée vers ceux qui prédisaient l'avenir. Aujourd'hui, je le suis par ceux qui me font comprendre ce que j'ai à apprendre dans cette vie et qui me donnent les moyens d'y arriver.

Un jour, j'ai été prête à entendre ce que je ne voulais pas entendre depuis toujours, c'est-à-dire la raison d'être de ma propre existence sur terre et l'apprentissage que je devais y effectuer. À la suggestion d'une amie, j'ai rencontré une médium dont c'était la spécialité. Résultats : pas ou peu de fleurs, des pots et quelques mots d'encouragement lorsqu'elle voyait que j'étais trop touchée par ce qu'elle me disait. Il n'y avait aucune méchanceté dans ses propos mais simplement une focalisation certaine - et non une certaine focalisation - me disant ce que je devais apprendre. Elle relevait une forte capacité en moi à être dans le doute pour peu de choses ; à cela s'ajoutait une grande difficulté à tourner la page sur différents événements de ma vie. Elle me donnait donc des bases de réflexion et en même temps de l'espoir. Ainsi, je savais ce sur quoi je devais travailler.

Ma course à l'espoir ne s'est pas limitée à l'exploration de la médiumnité. J'ai également participé à divers ateliers de croissance personnelle et je me suis exercée à la méditation. J'avais déjà un fort intérêt pour tout ce qui touchait à l'invisible et à Dieu mais, je sentais en moi une force en plus qui me poussait à agir dans ce sens. C'était - et c'est encore - une passion à laquelle j'ai donné libre cours. J'ai alors roulé ma bosse dans bien des endroits, menée par le désir de répondre à des impulsions et parfois à des besoins bien précis. J'ai ainsi exploré divers enseignements proposés par les personnes ou organisations suivantes : les Anges Xedah [5], le Centre Universel du Verseau [4], un Cours en Miracles [5], Écho [7], Edgar Cayce [8], EST [5], Maharishi Mahesh Yogi [9] (méditation transcendantale), le Mouvement Amérindien [10] [11] [12], les Sciences Cosmiques [3], le Siddha Yoga [13] et Sri Aurobindo [14].

Dans la deuxième partie, je vous livre ce que j'en ai retenu. Et dans cette optique, certains mouvements y sont décrits.

Vers ma transformation personnelle

Au début de ma démarche, je recherchais davantage la pilule miracle à tous mes maux plutôt que de m'investir véritablement dans un changement profond de ma personnalité. Au fil du temps, m'impliquer dans une telle métamorphose m'est apparu comme étant la seule solution et est ainsi devenu une façon d'agir et de vivre.

Alors que la programmation de mon intellect retenait mon attention, j'ai commencé à m'ouvrir peu à peu sur le plan émotif. J'ai poursuivi dans ce sens pour finalement évacuer un trop plein.
Dans les faits, nous sommes attirés par les moyens d'action qui nous semblent acceptables. Une fois un moyen expérimenté, nous continuons à l'utiliser ou nous en choisissons un autre. Parfois, nous pouvons en employer plusieurs de façon parallèle. Nous pourrions également user d'un même moyen et obtenir des résultats différents comme nous pourrions nous servir de moyens différents et obtenir des résultats semblables.

La progression de mon cheminement ne s'est pas toujours effectuée de façon très consciente. Ce n'est qu'avec le recul que j'en ai constaté le déroulement. En fait, j'ai gravité de lecture en lecture, de technique en technique et de mouvement en mouvement. Je retenais ce que j'étais en mesure de comprendre et de vivre à ce moment-là. Quant à mes résultats personnels, suite à l'ensemble de mon cheminement, ils vous sont décrits à la section *Les résultats obtenus* de la page 45 ?

Le choix d'un moyen de guérison

Tout au long de mes démarches, j'ai rencontré des gens intéressants et honnêtes dont l'apport à la société est intangible en matière de performance et de productivité. Nous vivons dans une société pour le moins cartésienne où le visible et le tangible occupent une place prépondérante. Heureusement, l'invisible, l'intangible et l'émotivité font l'objet d'un intérêt croissant et de discussions en plus grand nombre.

Ainsi de fil en aiguille, j'ai été initiée à plusieurs moyens de guérison par le biais de lectures, d'ateliers ou de consultations privées. J'ai également pu consulter le Guide Ressources [12], vendu en kiosque ainsi que la panoplie de conférences et d'ateliers offerts au Centre St-Pierre de Montréal [15]. J'ai profité aussi, de l'immense diversité des livres vendus en librairie.
Quant au choix de ces moyens ainsi que celui des personnes ou mouvements qui les offrent, j'ai simplement suivi quatre règles personnelles :

1- Tenez compte de l'appel de votre coeur

Respectez vos goûts et envies, c'est la clé de la motivation. C'est donc de toute première importance.

Le chemin que vous parcourez pour évoluer est unique. Vos besoins, tant sur le plan de l'apprentissage que concernant les diverses formes que vous empruntez pour l'effectuer, diffèrent de ceux d'une autre personne. Un ami peut vous parler d'une lecture, d'un guide ou d'un mouvement extraordinaire comme outils qui l'ont servi, mais il se peut fort bien qu'ils ne vous conviennent pas.

Il faut se souvenir également que Dieu ne fait aucune différence entre les êtres, peu importe s'ils adhèrent ou non à une doctrine particulière. Dieu n'appartient à aucune philosophie, à aucun guide ni à aucun mouvement. Ce qui n'empêche pas ces derniers de nous aider à évoluer.

J'ai participé en 1997, à un atelier offert par l'organisation des Anges Xedah, dirigé par Marie-Lise Labonté [16], personnalité bien connue dans le domaine spirituel et auteure de plusieurs livres. Les anges nous ont conseillé de suivre un atelier sur la canalisation christique donné par une Américaine nommée Roseanne. Cette dernière à l'allure plutôt corpulente, avec son crâne rasé, sa figure maquillée et sa robe noire assortie d'une ceinture aux hanches, faisait figure de sorcière moderne. Elle contrastait avec Marie-Lise dont le physique élancé et les cheveux blonds ondulés, se rapprochait davantage du type scandinave. C'est au cours de cet atelier, donné par Roseanne, que j'ai communiqué avec un guide amérindien. Les Anges Xedah, le Christ, le Mouvement Amérindien ainsi que des êtres aux formes contrastantes se côtoyaient ainsi avec harmonie. En conclusion, souvenez-vous que la qualité d'un guide se reconnaît entre autres, à sa capacité d'accepter d'autres formes d'évolution.

2- Considérez que tout mouvement requiert une organisation et un financement

Tout mouvement spirituel, comme toute entreprise, doit réglementer sa structure, quels que soient ses enseignements. Ceci est d'autant plus vrai lorsque le mouvement regroupe un grand nombre de personnes, ce qui a pour but d'éviter que chacun poursuive un objectif personnel sans se soucier du bien commun.

Tout mouvement, à but lucratif ou non, a besoin d'argent pour assurer son bon fonctionnement. Par conséquent, il est logique de demander une compensation financière pour des traitements ou ateliers. Celle-ci doit être évaluée comme vous le feriez pour un autre bien de consommation et ce, selon les critères suivants : le temps et les coûts consacrés par le fournisseur de service à l'acquisition de sa propre compétence, sa réputation ainsi que le temps qu'il a pris pour vous fournir le service demandé.

Il faut aussi reconnaître qu'en demandant de l'argent à celui qui chemine, le fournisseur s'assure également de la motivation profonde de celui-ci à avancer. De son côté, le demandeur peut mieux évaluer la sienne. De plus, cela limite le nombre de sceptiques qui se glissent dans les ateliers et qui causent des pertes de temps en argumentant sans fin ou en se moquant subtilement des autres participants ou des enseignements.

3- Considérez que tout mouvement est une organisation humaine

Un mouvement, aussi spirituel et reconnu soit-il, demeure une organisation humaine avec des failles tout à fait naturelles. Ce n'est pas que les organisateurs ou leurs disciples cherchent par leurs conseils à induire en erreur, mais plutôt que celle-ci, comme nous le savons tous, est tout simplement humaine.

Il faut éviter de se laisser guider sans réfléchir. En spiritualité, on parle de remise de son pouvoir, ce qui est fortement déconseillé. Bien qu'il n'y ait pas à proprement parler de faute dans un cheminement, vous pouvez apprendre de toute situation, il y a quand même des attitudes à éviter telles que :

- *Croire de façon inconditionnelle aux préceptes des membres en autorité ou non d'un mouvement, sans user de son discernement personnel.*

- *Se laisser abuser psychologiquement ou physiquement.*

- *Se départir de tous ses avoirs financiers à l'avantage de ce mouvement.*

Un mouvement où les dirigeants dénigrent, abaissent ou humilient les membres ou encore tiennent à établir leur supériorité est à mon avis, à éviter. Il est à noter qu'il existe au sein de n'importe quel organisme, des personnes fanatiques, bigotes, étroites d'esprit. Cela n'a rien à voir avec la qualité du mouvement ni l'ensemble des personnes qui en sont membres. Souvent, ceux qui sont à la tête de ce mouvement n'y peuvent rien, chacun ayant son libre arbitre.

4- Tenez compte de la qualité des conseils prodigués et des résultats

Il est sain de se questionner quant à la nature véritable des guides qui nous attirent. Prenons, à titre d'exemple, le cas de Marie-Lise Labonté à travers laquelle les Anges Xedah ont transmis leurs enseignements. Est-ce vrai ? Les anges, dans la culture occidentale et chrétienne sont les messagers de Dieu. Il est donc très attrayant d'y croire, pour moi comme probablement pour vous.

Je me questionne davantage sur la qualité des enseignements transmis, plutôt que sur la nature véritable du guide. Or, leurs enseignements, une fois appliqués à ma vie m'ont apporté des résultats pratiques, concrets et observables. Ceci me porte à croire qu'ils sont ce qu'ils disent être.

Dans l'analyse d'un message, il faut être conscient des quatre limites suivantes provenant du monde spirituel :

- *Le temps n'existe pas dans ce monde. Toute date ou période de temps spécifiée peut être erronée, peu importe la crédibilité de celui qui la transmet.*

- *Ce monde est différent du nôtre. Notre langage n'est adapté qu'à nous, limitant ainsi la portée du message. Il s'agit de demeurer ouvert à ce qui est au-delà des apparences.*

- *Un guide peut interpréter de façon erronée le message qu'il a perçu consciemment. Par contre, concernant Marie-Lise Labonté, un tel phénomène ne s'applique pas parce que ce sont les anges qui, à travers son corps, transmettaient directement leurs messages.*

- *Le receveur du message peut également l'interpréter de façon erronée. Afin de contourner ce problème, je vous suggère de relire plusieurs fois un même message afin d'éviter de lui donner, au gré de l'humeur du moment, un sens autre que le sens véritable.*

En spiritualité, comme dans tous les autres aspects de la vie quotidienne, il faut user de discernement.

Les résultats obtenus

Mon cheminement, tel que je vous l'ai décrit, découle d'un intérêt très prononcé pour tout ce qui touche l'invisible et Dieu. C'est une passion à laquelle je donne libre cours. J'y vais à fond, en toute confiance et sécurité car en aucun temps l'adulte en moi ne donnerait sa fortune personnelle à un guide quelconque. Je ne permettrais pas à ce dernier de diriger ma vie ou d'abuser de moi psychologiquement ou physiquement.

Je suis venue au monde pour y vivre et non pour le fuir. Si pour le choix d'un moyen, je me fie à mon intuition ou encore à certaines personnes de confiance ou de passage, j'en évalue quand même les résultats sur une base concrète, pratique et observable.

Pour ma part, j'ai obtenu des résultats positifs dans les cinq domaines suivants :

1- État émotionnel

J'ai liquidé par le cheminement parcouru, un trop plein d'émotions. Je suis aux prises avec moins d'émotions négatives sur des périodes de temps plus courtes (nul n'est parfait !). Je suis davantage en contact avec moi-même, ce qui m'apporte beaucoup de satisfaction. De façon générale je suis moins stressée, sachant davantage où je vais et ayant confiance dans mon avenir.

J'ai constaté, à mon grand étonnement, qu'à me rapprocher de moi-même et par conséquent de mon coeur, je me suis aussi rapprochée des autres. À me comprendre, je comprends mieux les autres. C'était là une conséquence que je n'avais ni cherchée, ni envisagée, mais qui m'apporte beaucoup.

J'ai l'impression que le vide en moi se remplit doucement de quelque chose d'indéfinissable mais de très agréable. Dans tout ceci, j'expérimente parfois une joie pétillante qui n'a rien à voir avec les plaisirs de ce monde et qui n'en dépend pas.

2- Affirmation de soi

Dans ma jeunesse, je n'osais exprimer ni ce que je ressentais, ni mes opinions et c'était encore plus vrai si elles entraient en opposition avec celles de personnes chères ou en autorité. Aujourd'hui, je suis en mesure de m'extérioriser dans le respect de l'autre et de ses opinions et j'en suis fière. Je sais qu'il n'est pas toujours facile d'énoncer ses idées quand des émotions y sont rattachées, avec pour résultat qu'on les manifeste parfois de façon brusque et sans diplomatie. Aujourd'hui, c'est un domaine que je suis parvenue à maîtriser.

3- Respect de mes besoins

Je me laisse moins happer par la vie et les éléments qui la constituent. En étant davantage en contact avec moi-même, je suis en mesure de répondre à mes besoins véritables et à me fixer des limites. Très jeune, j'ai appris que je devais satisfaire les autres en m'oubliant. C'est épuisant et cela fait de soi une proie toute désignée pour un manipulateur.

J'applique cette compréhension de mes besoins à toutes les facettes de ma vie, pas seulement au domaine spirituel. À titre d'exemple, un représentant de commerce m'a proposé dernièrement un moyen d'économiser 10,000 $ en frais de chauffage, moyennant une dépense de 18,000 $! Tout au long de notre entretien, j'ai pu détecter l'emploi de plusieurs techniques de déstabilisation du consommateur. Entre autres, le représentant a tenté de me ridiculiser en raison de mon incompréhension face à ses arguments. Après réflexion, je n'ai pas acheté. J'ai appris à considérer mes besoins étant donné la variabilité de mes revenus comme travailleuse autonome. Le fait que je sois davantage consciente des éléments psychologiques souvent utilisés pour forcer la main, m'a aussi aidée à y voir clair.

4- Évolution de ma conscience

Il existe plusieurs sources d'informations sur un même sujet que je vous encourage à consulter avant de prendre toute décision. Un certain temps est évidemment nécessaire à la collecte de renseignements ainsi qu'à leur comparaison en vue d'une décision.

Sachez cependant qu'on peut faire dire n'importe quoi aux renseignements recueillis, en fonction de la clarté de notre esprit. Il est donc utile de développer une pensée claire. Or un esprit ne peut être clair si à un niveau émotif, nous n'avons pas démêlé et réglé les aspects suivants :

- *confiance en soi ;*
- *capacité à faire face au rejet ;*
- *culpabilité face à des situations non résolues ;*
- *colère ou haine face à des personnes ou des événements ;*
- *peurs restreignant nos actions.*

C'est ce que l'on appelle en spiritualité l'évolution de la conscience. Cette évolution s'est réalisée dans mon cas, de deux manières : l'élargissement et l'approfondissement. Ma conscience s'est élargie dans le sens d'une créativité plus grande en matière d'idées, de stratégies et de techniques. Elle s'est approfondie dans le sens d'une compréhension plus complète des différents aspects de ma vie. Ce dernier élément peut s'exprimer par une plus grande sagesse, un amour plus profond, des qualités artistiques ou scientifiques qui dépassent la simple réalisation technique, ou encore par une meilleure conscience de ce qui se passe dans la vie. C'est maintenant un plaisir dont je ne me passerais plus.

J'observe plus de choses qui à première vue, me semblaient autrefois anodines et qui maintenant ne le sont plus. C'est comme acquérir un sixième sens, c'est-à-dire la capacité d'aller chercher de l'information par la perception non pas d'éléments extérieurs et physiques mais plutôt d'éléments intangibles s'y rapportant. Ainsi, vous pourriez vivre une situation en apparence parfaite, alors qu'une voix intérieure pourrait vous souffler " Cela ne se passera pas comme tu le penses " ou encore " Ne fais pas confiance à cette personne ". Savoir percevoir et surtout écouter cette voix intérieure est le premier pas vers le développement de ce sixième sens.

5- Vécu d'expériences

J'ai vécu ce que l'on appelle des expériences, c'est-à-dire des visions au cours desquelles on peut certes, vivre des sentiments et des émotions. À titre d'exemple, j'ai bénéficié entre autres, de contacts avec l'univers me retrouvant à l'intérieur de ses nombreuses spirales qui le caractérisent tant. J'ai également ressenti des vagues d'amour et des fous rires à en avoir mal au ventre. Si Dieu est Amour, je peux vous dire qu'il est aussi Joie et c'est une joie peu ordinaire, presque folle, sans pour autant être malade. Cette impression de liesse est grande pour ne pas dire grandiose. Sans contrainte, elle n'est fonction de rien. Elle n'existe que par elle-même, sans raison.

De toutes mes expériences, celle que j'aime le plus raconter n'est pas très classique mais son souvenir me fait toujours sourire de plaisir. Un jour, je me suis plainte comme bien d'autres avant moi, de mon apparence physique. Ce jour-là, mes cheveux avaient retenu mon attention et me déplaisaient particulièrement. Alors que je vaquais à des activités très terrestres, sans que je m'y attende, tout a basculé. Je me suis alors perçue comme un poulet avec des cheveux pêle-mêle, oiseau avec lequel je suis tombée en amour ! Je riais tout le temps en me répétant sans cesse " My star name is Chicken Lady " (Mon nom de vedette est Madame Poulet).

J'avais l'impression qu'En-Haut - terme que j'affectionne pour désigner Dieu ou l'un de ses dignes représentants - on avait voulu se moquer gentiment de moi ainsi que des dévots qui se présentent fort bien habillés devant le Guru de l'ashram. À cette époque, je fréquentais de façon assez assidue l'ashram de Gurumayi. Gurumayi est une femme à la tête du mouvement de méditation siddha.

L'humour et surtout l'absence de moquerie étaient au rendez-vous et me faisaient comprendre la futilité de ma préoccupation. Non seulement concernant mon apparence physique mais, aussi celle des autres à l'égard de leur Guru.

Je ne me suis pas mise à picorer le sol ni à piailler. J'avais un comportement tout à fait normal, sauf que je riais tout le temps en pensant à cette image ! J'avais pour le moins un sens de l'humour plutôt piquant mais non déplacé. Tout au long de cette expérience, je n'ai pas été amenée à poser de gestes irréfléchis ou blessants à mon égard ou à l'égard des autres.

Si j'aime raconter cette expérience, c'est qu'elle démontre combien Dieu a le sens de l'humour, bien que cela ne corresponde pas à l'image que nous nous faisons généralement de lui.

Partie 2

Les enseignements reçus

Qui allons-nous écouter ?
Notre ego ou notre véritable nature,
soit Dieu ?

Chapitre 3

Une compréhension de l'être humain

L'être humain affiche un large éventail d'attitudes et de comportements aussi bien nobles qu'odieux et inexorablement liés à des sentiments ou des émotions. Leur noblesse ne pose aucun problème mais, dans le cas contraire, la nécessité de les contrôler s'avère impérieuse afin d'éviter des conséquences fâcheuses telles que des remarques désobligeantes, des gestes agressifs ou toute autre attitude du même acabit.

Contrôler et maîtriser la vie en soi

Selon la spiritualité, *contrôler* signifie restreindre l'expression d'un sentiment ou d'une émotion, et par conséquent l'attitude ou le comportement correspondant.

Il est normal de penser que l'être qui contrôle sa colère n'est plus sous le coup de celle-ci et n'adoptera, en conséquence, aucune attitude ou comportement agressif. Pourtant, sa ire n'a pas pour autant cessé d'exister. Dans les faits, elle s'interpose entre lui et sa véritable nature qui est selon la spiritualité, divine, tel un voile cachant une oeuvre d'art. La qualité du contact de cet être avec sa véritable nature s'en trouve donc amoindrie.

Savoir se contrôler est une fonction saine et nécessaire. Qu'adviendrait-il si sous le coup de la colère, une personne devenait violente psychologiquement ou physiquement ? Dans quelle société, vivrait-elle si les membres qui la composent n'exerçaient aucun contrôle sur eux-mêmes ? C'est la raison pour laquelle notre société réprouve l'expression de tout sentiment ou émotion négatif.

Le même être peut aussi décider de s'adonner au *jeu de cache-cache*. Il choisit alors de se cacher ce qu'il vit en lui, soit en l'ignorant ou encore en arrêtant de le ressentir. Parfois aussi, il le renomme afin de lui donner une plus belle image. Ainsi, une colère devient une simple irritation, une peur du stress et ainsi de suite.

C'est alors que l'*effet miroir* ou la *projection* entre en action, l'extérieur de la vie de cet être, qu'il en soit conscient ou non, reflétant son intérieur.

À titre d'exemple d'effet miroir ou projection, je me suis caché longtemps le fait que je ne me sentais pas aimée. Je recréais cette situation en fréquentant des gens qui, visiblement aux yeux des autres, mais non aux miens, ne m'aimaient pas. Mon problème était le suivant : accepter ce qu'extérieurement je vivais vraisemblablement, c'est-à-dire un manque d'amour, m'obligeait à faire de même quant au sentiment correspondant qui était en moi. Puis un jour, j'ai été en mesure de reconnaître que la personne aimée ne m'aimait pas. Le sentiment qui m'habitait a pu alors émerger et disparaître. C'est ainsi que j'ai pu départager dans ma vie les personnes qui m'aimaient de celles qui ne m'aimaient pas.

L'impact d'un effet miroir ou d'une projection spécifique sur notre vie n'est pas toujours facile à cerner. Ainsi, prenons l'exemple de Johanne qui craint de manquer d'argent. Bien qu'elle connaisse intellectuellement cette peur, elle ne l'a pas encore extirpée de son être. En réaction, elle accumule biens et économies en vue de se protéger contre ce manque. Jusque-là, aucun problème ! Par contre, il est possible que cette peur l'empêche d'évaluer à sa juste valeur un projet avantageux pour elle car, sous le coup de sa crainte, elle refuse de prendre le moindre risque financier. Elle peut ainsi perdre une occasion de faire de l'argent. Cette crainte peut également la porter à investir dans des projets douteux avec des conseillers qui lui font miroiter des profits alléchants. Dans ce dernier cas, elle s'expose à perdre le capital investi.

Le problème à résoudre dans l'effet miroir ou la projection, n'est pas nécessairement l'action elle-même, soit dans les exemples précédents, la fréquentation de certaines personnes ou l'accumulation de biens divers, mais dans l'éradication de sa source.

Le désavantage du jeu de cache-cache revient à ne pas régler le problème à sa base, ce qui parfois l'amplifie ! Et c'est alors qu'entre en jeu le *principe de la cocotte-minute.* Une cocotte-minute est un chaudron conçu pour permettre une accumulation de vapeur. Afin qu'elle n'explose pas, une sortie de vapeur suffisante doit être assurée. Illustrons ce phénomène avec Raymond qui accumule sa colère sans la laisser sortir. Ne pouvant plus contrôler cette fureur qui l'habite, un jour il explose. Les gestes qu'il posera alors, sous le coup de cette émotion, pourront prendre la forme d'une simple phrase blessante mais aussi aller jusqu'à la tuerie la plus effrayante, en passant par des décisions impulsives et parfois regrettables. Lors de cette explosion, il est happé tant par la force que par la vitesse de réalisation de celle-ci, ce qui restreint presque totalement sa capacité à rediriger le cours de ses actions. Par contre, s'il apprend à relâcher de façon continue ce qu'il ressent, il s'évitera probablement ces problèmes. Un tel lâcher prise le conduira au détachement puisqu'une partie de ce qu'il retenait n'existera plus. C'est là d'ailleurs que le détachement, prôné par tant de philosophies, prend tout son sens et son utilité.

Selon le monde spirituel, *maîtriser* signifie relâcher ce qui est à l'intérieur de soi et prendre contact avec sa véritable nature tout en se laissant guider par elle. Pour y parvenir, il est nécessaire d'accepter intellectuellement et surtout émotionnellement que sentiments et émotions existent en vous et s'expriment. Ceux-ci peuvent alors être comparés à de l'air contenu dans un espace limité qui, en s'échappant, disparaît tout en perdant de son impact et cela sans perte de contrôle de votre part. Concrètement, vous pourriez être amené à ressentir à partir d'un point de votre corps, le sentiment ou l'émotion réprimé ou une sorte de vague de chaleur ou de froid envahissant en partie ou en totalité votre corps. Un tel relâchement vous apaisera. Ce qui n'est pas le cas dans une situation de contrôle qui, si elle se maintient, favorise généralement l'accumulation de tensions.

Le processus de libération des sentiments et des émotions conduit généralement à l'émergence, au niveau de la conscience, des croyances qui les ont générés. Une fois ceci réalisé, il est alors possible de ne plus adhérer aux convictions en question et de prendre d'autres décisions quant à la conduite de votre vie. C'est pourquoi l'évolution ne peut s'effectuer qu'avec la conscience. Si vous ne l'expérimentez pas dans l'immédiat, ce n'est que partie remise dans la poursuite de votre guérison.

Dans un processus de libération, il n'y aucun jeu de cache-cache, aucun effet miroir ou projection. De plus, le principe de la cocotte-minute ne s'applique pas puisque vous ventilez au fur et à mesure que vous reconnaissez vos sentiments, vos émotions ainsi que les convictions auxquelles ils sont attachés sans les accumuler.

Contrôler est du domaine de l'ego car les sentiments et les émotions négatifs ainsi que leurs croyances associées en relèvent. *Maîtriser* est du domaine de l'ego en voie de disparition, le vôtre. Il cède sa place à votre nature divine et se rapproche de Dieu.

Maîtriser est une fonction qui s'apprend graduellement. Il faut y mettre du temps, de l'écoute de soi et de la détermination. Certes, les difficultés pourraient s'accumuler face à l'apprentissage de cette maîtrise mais vous en retirerez de grands avantages.

L'évolution de la conscience

Le plus haut niveau de conscience que l'être humain puisse atteindre est Dieu. À ce moment-là, le monde de l'ego disparaît entièrement pour être remplacé par le monde divin.

L'évolution de la conscience se fait cependant par étapes. Un temps d'apprivoisement et de recul est nécessaire pour permettre l'émergence des sentiments et des émotions ainsi que de leurs croyances associées, leur confrontation, puis leur relâchement et leur éradication à partir des cavernes sombres de votre être.

Ces paliers peuvent être comparés aux pelures d'un oignon que l'on retire une à une jusqu'à rejoindre le coeur. Transposées à votre vie, ces pelures correspondent aux divers sentiments, émotions et croyances qui sont à leur source. En les épluchant, vous êtes amené à découvrir le coeur de vos problèmes, c'est-à-dire l'ego. Chaque étape peut en contenir d'autres, moins grandes en apparence, mais nécessaires à votre évolution et chacune fonctionne sur ce principe.

Rien de tel qu'un exemple pour illustrer le concept pelures d'oignon. Dernièrement, une personne éveillait en moi beaucoup de colère. J'ai résolu cette situation en trois étapes. La première a été de constater que cette personne avait peu confiance en elle, ce qui la portait à voir dans les actions et les projets des autres uniquement ce qui risquait de ne pas fonctionner. C'est ainsi qu'elle agitait son miroir. La deuxième fut de me rendre compte que je me sentais personnellement attaquée par elle d'où ma colère à son égard. Enfin, la troisième fut de prendre conscience que ce courroux masquait mon propre manque de confiance en moi. Ce manque trouvait sa source dans la conviction que j'entretenais inconsciemment et qui me faisait croire que je n'étais pas aussi intelligente que les autres. L'acceptation de ce qui se passait ainsi que mon désir de ne plus mettre ma fureur en exergue ont grandement facilité mes prises de conscience.

Par la suite, je me suis permis de relâcher ce manque qui m'habitait. J'y suis parvenue en le laissant s'exprimer à un niveau émotionnel telle une vague déferlant sur une plage et en décidant de ne plus adhérer à la conviction à sa source. De cette façon, j'ai évité que mon corps ne se transforme en cocotte-minute qu'une absence de ventilation aurait pu faire exploser.

L'intensité de ce que vous laisserez aller est à la mesure de ce que vous pouvez psychologiquement relâcher à ce moment précis de votre évolution. C'est pourquoi il est possible que vous soyez amené à plusieurs reprises et sous des aspects différents, à revivre ces sentiments et ces émotions jusqu'à leur suppression complète.

Il arrive aussi que le sentiment ou l'émotion ressenti en cache d'autres. À titre d'exemple, la colère pourrait cacher de la peine. Elle constitue alors une illusion, un voile par rapport à cette peine. L'inverse pourrait être tout aussi vrai, soit de la peine cachant de la colère.

Au fur et à mesure que vous épluchez votre oignon (votre problème) et que vous disposez de ses pelures (prises de conscience, relâchement des sentiments, émotions ainsi que les croyances à leur source), vous commencez à lâcher prise. Ce processus peut se dérouler sur plusieurs heures, semaines, mois ou années en vue d'obtenir la guérison spirituelle souhaitée. Le temps nécessaire à une guérison varie selon de nombreux facteurs. Le fait que nombre de blessures soient bien enfouies dans l'inconscient rend parfois leur identification plus difficile. Plus elles sont importantes à vos yeux, plus leur guérison demandera de temps. N'oubliez pas que si un problème revient sous une autre forme, vous devrez à nouveau regarder ce qui ce passe car cela veut dire qu'il n'est pas résolu complètement.

Lors du déroulement de ce mécanisme, il est essentiel de demeurer ouvert à ce qui se présentera car le tout peut revêtir des facettes insoupçonnées qu'il faut accepter. Aussi, vous serez peut-être amené à découvrir que certaines de vos bonnes intentions ne l'étaient pas, car de la haine se cachait derrière elles. Ne vous culpabilisez pas ! C'est le propre de l'ego de jouer la carte de la culpabilité !

Le processus du lâcher prise est un phénomène bien connu en spiritualité et en psychologie. Il adopte des terminologies différentes selon les chemins parcourus :

- *La Méditation Transcendantale présente le concept en matière de méditants qui brûlent.*

- *Le Siddha Yoga parle d'impressions dont l'expression prend diverses formes appelées kryas, par exemple ; des larmes ou des mouvements spontanés de yoga.*

- *Sri Aurobindo parle de formations.*

- *D'autres mouvements généralement moins formels ou aux origines moins ancestrales que les précédents, parlent d'attaques de l'ombre, l'ombre représentant l'ego.*

Lorsqu'un individu n'arrive pas à lâcher prise, les sentiments ou les émotions se trouvent stockés au niveau du corps. Ils affectent ce dernier et revêtent divers noms tels que cuirasses, défenses ou tensions.

Finalement, ce sont toutes les prises de conscience associées à un relâchement émotif qui constituent les petits miracles de l'évolution. Elles préparent la voie à un plus grand mouvement soit, celui de votre prise de contact définitive avec votre nature véritable qui est divine. Un individu peut trouver sa sécurité dans un élément qui lui est extérieur tel qu'une relation amoureuse ou un emploi. Mais celle-ci est fragile puisqu'elle repose sur une composante de sa vie qui aura une fin. Par contre, il trouvera en sa nature véritable une sécurité inaltérable et éternelle.

L'ego dans tout cela ?

L'identification des modes de fonctionnement de l'ego peut être sans fin. Le but de cette prise de conscience dépasse la guérison d'une blessure spécifique, accompagnée des croyances inhérentes. Dans les faits, il est nécessaire de remonter à la cause de l'ensemble des blessures, cause qui, selon les enseignements est unique et trouve sa source dans l'identification à l'ego.

En tant qu'être conscient, l'être humain a perçu et continue à percevoir Dieu de façon erronée comme étant séparé de lui. Conséquemment, il a choisi de se soumettre :

- *à un monde mental sans substance et vide, soit l'ego ;*
- *plutôt qu'à un monde d'énergie et d'Amour avec substance, soit Dieu.*

En adhérant à l'ego, il fait ainsi l'expérience du vide, et donc de la peur. S'il ne faisait qu'un avec Dieu, une telle expérience serait impossible car l'énergie de celui-ci le soutiendrait aussi solidement que la matière qu'il connaît.

La charge émotive en lui est si forte qu'il préfère l'oublier. Il y parvient en détournant son attention de l'intérieur pour la porter sur l'extérieur. Il recherche ainsi la sécurité désirée sous diverses formes telles : une reconnaissance sociale, la possession de biens divers, une relation conjugale satisfaisante, etc. Celles-ci deviennent son salut. Puisque les ressources mises à sa disposition comme à celle d'autrui sont limitées, il se retrouve en position de défense, d'attaque ou de concurrence, ce dernier terme n'étant que la version moderne des deux premiers. Selon l'intensité du vide à combler et donc de sa peur, il veut plus ou moins se procurer, conserver et accumuler les éléments désirés et acquis, versant ainsi dans l'exagération et la dramatisation.

Dans ses efforts pour réussir, il tente de comprendre ce monde extérieur afin d'en tirer davantage parti. De là, découle la création d'un ensemble de convictions autres que celles reliées à la séparation d'avec Dieu et dont proviennent d'autres souffrances. Cela devient un cercle vicieux.

Bien sûr, certaines convictions sont utiles mais il n'est pas nécessaire d'y adhérer de façon absolue. Il est généralement reconnu que sortir sans manteau à - 15 °C pendant quelques minutes peut provoquer grippe et rhume. Dans ce cas-ci, une telle certitude protège de la maladie. La spiritualité ne vous dit pas d'ignorer le lien possible entre l'exposition au froid et la maladie mais suggère plutôt que ce lien peut être défait afin que vous repoussiez vos limites. Des façons d'y parvenir font d'ailleurs l'objet de cette deuxième partie du livre.

Lorsqu'un individu est sous l'égide de l'ego, la conséquence inéluctable en est d'expérimenter de façon alternative l'euphorie et la souffrance. L'euphorie se distingue de la véritable paix de l'esprit, divine en soi et qui n'est fonction de rien. Elle émerge chez un tel individu lorsqu'il obtient l'objet de ses désirs. Ensuite, elle s'évanouit pour faire place à la souffrance lorsque l'objet désiré lui est enlevé ou ne le comble plus, ayant perdu à ses yeux sa nouveauté. L'individu devient alors désabusé. La souffrance qu'il expérimente est associée au vide, celui créé par son incapacité à ressentir Dieu, c'est-à-dire l'énergie d'Amour en lui. Afin d'éviter d'éprouver cette douleur morale, il utilise différents moyens tels que travailler jusqu'à obtenir l'objet désiré, puis agir de même pour un autre et ainsi de suite. Ou encore il peut s'étourdir dans de nombreuses occupations telles que manger ou boire à outrance, fumer ou se droguer.

Dans le domaine de la spiritualité, le monde intérieur et extérieur créé par l'ego prend le nom de Maya ou d'Illusion qui, tel un voile, vous dissimule votre véritable nature, divine en soi.

Vous n'avez pas à vous culpabiliser de ce que vous avez fait ou de ce que vous faites de votre vie. S'y adonner est simplement un signe que vous êtes encore sous l'égide de l'ego.

Pour faire face à l'ego, il vous faut porter un regard en vous-même afin de régler la cause principale de tous vos problèmes. Dans cet examen, l'unique connaissance intellectuelle n'est pas suffisante car seule l'expérience de la transformation personnelle apporte la guérison spirituelle. Par exemple, si votre insatisfaction dans un domaine de la vie, vous porte à manger plus de pâtisseries que votre organisme n'en requiert... ne vous culpabilisez pas ! N'oubliez toutefois pas d'activer votre fonction-contrôle afin d'éviter un embonpoint qui pourrait devenir des plus apparents et dommageables pour la santé. Au-delà de ce contrôle, veillez à maîtriser votre problème, c'est-à-dire à en éliminer la cause. Dans l'exercice de cette maîtrise, n'oubliez pas que reconnaître intellectuellement votre insatisfaction n'est pas suffisant. Il vous reste à l'éliminer de votre corps, celle-ci y étant emmagasinée sous la forme d'une charge émotive et donc physique. C'est elle qui vous pousse à acheter et à manger les gâteaux dont vous vous régalez mais pas nécessairement à votre avantage !

Pour expulser cette insatisfaction, divers moyens peuvent être utilisés afin de l'exprimer pleinement, en toute sécurité pour vous et pour les autres, et ainsi découvrir la croyance à sa source. À titre d'exemple, Diane est insatisfaite du peu de reconnaissance de son patron concernant la qualité de son travail. Parvenant à entrer en contact avec ce qu'elle ressent, elle découvre que cette insatisfaction cachait le sentiment d'avoir été rejetée plus jeune. Même plus, elle finit par admettre que dans le fond c'est elle qui ne s'accepte pas. Que ce sentiment soit justifié ou non, peu importe. L'important pour elle, comme pour nous tous, c'est de prendre conscience de ce qui habite notre corps, soit la charge énergétique négative et la croyance à la source de celle-ci, afin de les supprimer physiquement de notre être. Tout ceci pour dire qu'il est important de ne pas en rester à une connaissance intellectuelle mais plutôt de vivre l'expérience de sa propre transformation. Par la suite, Diane pourra prendre la décision de s'aimer et d'apprécier en conséquence sa propre beauté. Ce qui ressort de ce processus de guérison n'est peut-être pas tout à fait ce à quoi elle s'attendait. Sur une base concrète, ses attitudes et comportements changeront sûrement de façon positive et peut-être même ceux... de son patron à son égard. En effet, celui-ci ayant noté une nouvelle assurance chez elle, décidera peut-être de lui accorder de nouvelles responsabilités. Une seconde avenue possible pour Diane serait de postuler un autre emploi, forte de sa nouvelle confiance en elle. Mais quelle que soit sa décision, elle ne peut que se sentir mieux !

Un des masques préférés de l'ego est la vertu, puisque celle-ci lui permet d'agir à sa guise. Il dissimule ainsi sa perfidie à celui qui est sous sa tutelle ainsi qu'à son entourage, sans que pour cela tout ce monde en soit conscient. Ainsi un visage souriant peut cacher des larmes, un acte d'entraide, le désir de contrôler le bénéficiaire, un don d'argent, la volonté d'acheter l'amour d'une personne chère, une oreille attentive, le souhait secret de se tenir au courant des malheurs des autres pour en jouir. Ce sont autant d'exemples d'un ego qui adopte des comportements socialement acceptables pour mieux paraître.

Cette capacité qu'a l'ego de se dissimuler peut même être poussée à l'extrême. Elle lui permet de justifier des actes de barbarie, simplement en croyant faire, mais à tort, la volonté de Dieu, selon la perception de l'individu sous son égide. L'Inquisition espagnole, ce mouvement catholique durant lequel le clergé a torturé et brûlé des milliers de gens parfaitement innocents mais accusés d'hérésie et de sorcellerie, en est un triste modèle. Malheureusement, l'objectif des accusateurs était souvent bien plus d'accaparer les biens d'autrui, sous le couvert de nobles motivations religieuses. Il en est de même de la guerre sainte des extrémistes musulmans qui s'en prennent à d'autres moins extrémistes tout comme à des gens d'autres confessions. Ils tuent au nom de Dieu. Tous les moyens leur sont bons puisqu'à leurs yeux la vertu, ou plutôt leur perception de la vertu, les exonère. De là, la création par l'ego d'un Dieu qui n'est pas Amour, mais colérique, punisseur et vengeur.

L'ego serait le véritable Antéchrist alors que Dieu est le Christ. L'évolution de la conscience correspond à la purification de l'ego c'est-à-dire à l'élimination des croyances ainsi que des sentiments et émotions qui en découlent. Techniquement, la purification amène l'ego à s'effacer progressivement afin de permettre à la nature divine de s'exprimer. Il devient alors de plus en plus transparent, comme un vêtement qui perdrait de son opacité, diffusant ainsi davantage les qualités de celui qui le porte.

L'ego ne peut aucunement affecter la nature divine, cette dernière ayant été créée par Dieu. Ainsi peu importe ce que vous avez dit ou fait, Dieu ne voit en vous que sa propre Lumière. Il ne voit rien d'autre et de là découle la vraie signification du pardon.

Ceci s'applique à tous, ainsi qu'au monde dans lequel nous vivons. Nous nous percevons comme formes mais nous ne sommes pas ces formes, nous sommes un " Rayon de Dieu ". Voilà ce que la spiritualité enseigne.

Réflexions sur le film La Matrice

Le film La Matrice [17] représente une merveilleuse allégorie de l'ego face à la volonté d'un groupe d'êtres humains, parvenus à un état de conscience leur permettant de ne plus y être assujettis. Qualifié de " Cyber-Sci-Fi-ActionThriller " par des critiques en raison de ses nombreuses scènes de violence, se déroulant dans un monde imaginaire, il sert par contre d'enseignement, car il illustre de façon imagée plusieurs concepts spirituels.

La Matrice est l'histoire d'un programmeur de talent, Néo, qui dans ses temps libres, conçoit des logiciels informatiques illégaux. Un certain Morphéus, chef d'un mouvement considéré comme terroriste par le monde de la matrice, tente de rejoindre Néo. Lorsque ce dernier sera arrêté, relâché puis suivi par la police, Morphéus parviendra à le soustraire à cette surveillance.

Morphéus, dans la mythologie grecque est l'un des nombreux enfants d'Hypnos qui suscite chez l'être humain les rêves, en d'autre termes les illusions. Néo, quant à lui, signifie nouveau en grec. Morphéus voit en Néo l'Élu, celui qui amorcera la libération de l'humanité. Cependant, celui-ci n'en est pas convaincu et n'a pas encore emprunté le chemin le conduisant à cet état.

Morphéus explique à Néo que l'être humain, dans sa volonté de suprématie, s'est soumis à l'outil, la technologie, ou l'Intelligence Artificielle (IA), à son grand détriment. Il est devenu alors une pile au service d'un programme ou machine, fournissant ainsi l'énergie nécessaire à leur fonctionnement. Le tout est illustré dans le film par un immense incubateur où les hommes sont fabriqués, conservés et branchés à celui-ci, afin qu'il récupère leur énergie. Des robots à la solde de l'IA, programmés en conséquence, en surveillent le bon fonctionnement.

L'IA est à la base de ce monde imaginaire car tout ce qui le compose trouve sa source dans un programme. L'ensemble constitue la matrice. L'IA fournit donc sur une base virtuelle, à travers la matrice, tout ce qui compose les éléments extérieurs d'une vie tels une famille, un travail, un statut social ou des biens divers (vêtements, télévision). L'IA est à la base des états sensoriels des êtres humains, ces états étant également le résultat des programmes. D'ailleurs, celui qui trahira Morphéus et son groupe, le souligne lui-même lorsqu'il jouit de la saveur d'un steak, programmé comme tel dans l'univers de la matrice, mais non à bord du vaisseau de Morphéus où des rations alimentaires sans goût sont servies. Ainsi, tout dans le monde de la matrice est imaginaire, produit par une intelligence artificielle dans le seul but de contenter l'homme afin de poursuivre son asservissement. Ce monde, c'est Maya ou l'Illusion dont parlent les Sages.

Néo n'accepte pas d'emblée ce que la société lui offre. Il sent que quelque chose ne va pas dans sa vie et se questionne sur la matrice. Ce faisant, il s'ouvre à un autre univers représenté par Morphéus et son groupe. C'est à leur contact qu'il prendra la décision de se libérer du monde qu'il connaissait, décision qui ne revient qu'à lui seul.

L'IA peut être comparée à l'ego, tous deux ayant une nature mentale. Les programmes de l'IA représentent les croyances de l'ego puisque celles-ci trouvent leur source dans une intelligence identique et créent selon un modèle déterminé d'avance. Finalement, l'IA, tout comme l'ego, attaque tout ce qui pourrait menacer sa survie. Elle utilise à cette fin les forces de l'ordre, forces qui dans toute société représentent le statu quo, c'est-à-dire ce qui est établi et ne peut être changé.

Tout le long du film, on fait référence à l'inconscience de la majorité d'entre nous face à notre subordination par rapport à l'ego représenté ici par l'IA, sa matrice ou ses programmes. En s'identifiant au monde créé de toutes pièces par l'ego, l'être humain fait abstraction de tout autre type de fonctionnement ou de toute autre option. Pourquoi le ferait-il ? Rejeter l'ego dans notre réalité supposerait bannir les bienfaits perçus. Il ne nous reste plus alors, selon le film, qu'à conserver et à défendre ce que nous connaissons, ce que nous faisons âprement.

Comme dans nombre de fictions où le bien affronte le mal, il y a un paradis à atteindre. Dans La Matrice, c'est Sion qui se situe dans le sous-sol de la terre, près de son coeur, à la chaleur. Sion, chez les chrétiens, est la Jérusalem céleste. En Asie, des concepts similaires, sans être identiques, existent. On parle plutôt d'énergie Yin, énergie féminine qui provient de la terre et qui nourrit. On parle aussi de la Shakti, énergie également féminine située à la base de la colonne vertébrale qui, montant du bas vers le sommet de la tête, permet au chercheur d'atteindre l'illumination, c'est-à-dire Dieu. L'affranchissement complet de l'ego s'ensuit. Lorsque la Shakti effectue un tel périple, elle prend alors le nom de Kundalini.

Pour en revenir à La Matrice, Morphéus présente Néo à l'Oracle qui est représenté sous les traits d'une dame (la Pythie dans l'Antiquité). Elle lui révèle qu'il porte en lui le pouvoir d'être l'Élu, celui qui libérera le monde de sa servitude à l'IA. Pourquoi n'exerce-t-il pas ce pouvoir ? Elle ne le sait pas, un tel choix étant personnel et mystérieux. Or si l'on fait un parallèle avec la spiritualité, chaque individu a le droit d'orienter sa propre vie à sa guise. En contrepartie, il lui revient de parcourir le chemin lui permettant d'arriver à sa pleine réalisation bien qu'il puisse être guidé. Personne ne le fera à sa place, car ceci signifierait qu'il n'en a pas le pouvoir. D'ailleurs, même dans le film, Néo n'aura d'autre choix que de suivre son propre chemin et d'assumer son destin.

L'Oracle confie également à Néo qu'être l'Élu, c'est un peu comme être amoureux. Néo n'en n'est cependant pas convaincu. Alors qu'à la fin du film tout espoir semble perdu, Trinity lui avoue son amour. S'adressant à lui, elle affirme sa foi en lui malgré les apparences de sa mort. Néo revient alors à la vie mais comme Élu, n'étant plus affecté par la matrice et, concrètement, même plus atteint par les balles des forces policières puisque celles-ci ne sont que virtuelles donc non réelles. Par ce fait, le film souligne les limites de l'IA, tout comme celles de l'ego, son incapacité à altérer ou détruire la vie, même si l'enveloppe corporelle est détruite. En spiritualité, l'Amour, le vrai, le divin, est la Vie et la Vie est l'Amour. Lorsqu'un individu ressent et exprime un tel Amour, l'IA comme l'ego, n'a plus aucune emprise sur lui.

Le film se termine alors que Néo s'adresse à l'IA, donc à l'ego, ainsi qu'aux individus s'y identifiant. Il leur dit qu'il est conscient de la peur que son état suscite chez eux. Ceux-ci ayant adhéré à un monde de contrôle comportant des limites et des points de références peuvent craindre un univers où il n'y en a pas. Un tel monde, c'est celui de Dieu, alors... parlons-en !

Maintenant, si nous parlions de Dieu ?

Dieu a toujours existé et existera toujours. Il est indestructible et inaltérable. Il est Amour, Joie et Sagesse mais aussi Intelligence, Pouvoir, Énergie et Substance. Dieu connaît tout et conclut sans jamais avoir besoin de raisonner. Il est à l'origine de la vie, à l'origine de toute création.

Le Dieu auquel je me réfère dans ce livre n'est pas celui d'une seule religion. Il est l'Être suprême vénéré par tous les mouvements religieux. Les catholiques se réfèrent à Dieu le Père alors que les religions shivaïstes se réfèrent à Cela. Dans d'autres cultures ou courants de pensée, il revêt des noms tels que Grand Esprit, Grandpa, Énergie Cosmique, Intuition, Lumière, Source, Vie, etc.

Dieu sous-tend tout ce qui existe comme une toile de fond sur laquelle repose une peinture ; notre monde. Bien qu'un individu en s'identifiant avec l'ego croit être séparé de lui, il ne l'est pas et ne peut l'être car il vit en chacun de nous.

Dieu est le Soleil de l'univers et chaque individu, un de ses Rayons, possède les mêmes attributs que lui. Bien que chaque Rayon ait son individualité propre, il ne peut exister sans lui. Il partage cette qualité avec tout ce qui existe dans l'univers, absolument tout, que ce soit un minéral, un végétal ou un animal. Voilà le vrai sens de l'unité dans sa conception la plus pure ou dans son concept le plus absolu, tout comme l'unité dans la diversité.

Au contact de Dieu, une attitude de contemplation s'emparera peut-être de vous, visage et mains tournés vers le ciel, traduisant ainsi une montée d'Amour et de Joie face à sa présence. Vous ressentirez peut-être le besoin de vous prosterner, non pas en soumission mais plutôt en reconnaissance de sa noblesse et de sa grandeur.

Je le répète, peu importe ce que vous avez dit ou fait, Dieu ne voit en vous que sa propre Lumière, celle qu'il vous a confiée. Son Amour à votre égard est inconditionnel et ne dépend d'aucun facteur. Ainsi à son niveau, le saint côtoie le criminel et le criminel côtoie le saint. Vos entêtements, erreurs, hésitations, échecs et même succès ne font aucune différence à ses yeux. Cela ne signifie pas pour autant que notre société ne doive pas appliquer des règles de conduite et un système de justice afin de restreindre les comportements antisociaux.

Nous sommes des Fils et Filles de Dieu, qualité qui ne peut être détruite ou altérée par qui ou quoi que ce soit. Par extension, nous sommes co-créateurs avec le Dieu de l'univers. Ainsi qu'importe l'intensité de notre ombre, jamais nous ne parviendrons à éteindre la flamme divine en nous.

• Dieu et son soutien •

Vous vous demandez peut-être où est Dieu ? Que peut-il pour vous ? La difficulté à répondre à ces questions relève de l'identification avec l'ego. En effet, l'ego aime, entre autres, amplifier, complexifier, dramatiser et devient, pour atteindre son but, le maître des effets spéciaux. Or, Dieu et son modus operandi sont à l'opposé de l'ego.

À titre d'exemple, une amie se demandait si elle devait changer d'emploi. Elle s'était bien adressée à Dieu, mais sans succès. Pourtant depuis près d'un an, les signes s'accumulaient : une petite voix lui suggérait un changement et une collègue de travail avait fait de même mais, elle ne voulait rien entendre. Son ego avait pris le dessus et étendait son voile sur les manifestations divines.

Voilà une bonne illustration de surdité spirituelle qui affecte bon nombre d'entre nous, que nous soyons conscients ou non de cet état ! Quand les réponses d'En-Haut ne nous conviennent pas ou n'arrivent pas sous la forme souhaitée, elles sont mises de côté, tout comme celles qui requièrent des efforts ou des changements. Notre passage sur terre vise à nous apprendre à discerner lequel de l'ego ou de Dieu nous conduit. Ainsi il nous est possible d'abandonner l'ego et de nous rapprocher de Dieu.

Recherchez Dieu dans le silence de votre coeur. Pour l'atteindre, traversez le pays des bruits, c'est-à-dire le pays de l'ego. Pour ce faire, faites d'abord abstraction de l'extérieur (sons, images et sensations) puis de votre intérieur blessé (dialogue mental incessant, sentiments et émotions). Il ne s'agit pas ici de vous battre contre tous ces éléments, simplement de leur prêter moins d'attention. Vous serez ainsi davantage en mesure d'écouter votre petite voix intérieure. Il existe une panoplie de chemins et de moyens vous permettant d'arriver à un tel contact avec Dieu. Ils constituent vos armes face à l'ego, ce mal qui nous ronge tous.

Concrètement parlant, Dieu envoie toutes sortes de réponses qui arrivent..., sans tambour ni trompette. En ce qui me concerne, elles ont été très succinctes mais précises. Elles se sont manifestées par un mouvement du coeur, quelques paroles ou encore une intuition. Elles s'accompagnent généralement d'une grande simplicité et certitude. Dans ces cas-là, je savais.

Pour communiquer ses réponses, Dieu ne se restreint pas à un moyen de communication en particulier. Le film *La Matrice* en est un excellent aperçu. Cela veut-il dire qu'il faut croire aveuglément tout ce que l'on voit dans un film ? Non, encore là, il faut faire preuve de discernement. Le film Nell [18] en est un autre exemple : une jeune femme élevée en forêt et coupée du monde dit civilisé, est interrogée par un juge chargé de déterminer si elle doit être prise en charge par une institution. Elle répond qu'elle n'a pas accompli de grandes choses mais, qu'en se promenant dans les rues, elle a vu de la peur dans les yeux des hommes. Son analyse en quelques mots de notre monde moderne est à mon avis, des plus justes. Qu'en pensez-vous ?

Dieu ne fait aucune discrimination basée sur le niveau d'évolution d'une personne. Il est là pour tous et à tout moment. Il ne se restreint pas non plus à des guides ou des mouvements en particulier. Il est au-dessus de tout et de toutes les églises. Le guide qui vous dirait " Dieu ne parle qu'à travers moi " n'est pas un véritable mentor. Il est possible qu'un tel personnage ait eu de véritables expériences avec Dieu mais cette réaction de sa part indique que son ego s'est emparé de ses expériences pour les exploiter à ses fins. De même, celui qui vous dirait " Vous n'êtes que des pécheurs et vous devez expier vos fautes " est un maître guidé par l'ego, puisque le dieu vengeur est une création de l'ego. Malheureusement, nombre de gens s'en remettent à de tels conseillers, leur abandonnant ainsi leur pouvoir et cherchant à l'extérieur d'eux-mêmes la réponse à leurs problèmes.

La remise du pouvoir personnel à autrui est un phénomène qui ne se limite pas à des mouvements spirituels ou religieux. Ce fait existe dans toutes les sphères d'activités de notre monde, au niveau personnel autant que professionnel, local autant que national et international. Il s'appelle le complexe de Cendrillon, en référence à ce merveilleux conte de fées où Cendrillon, victime d'une belle-mère et de belles-soeurs persécutrices, trouve en son Prince Charmant, son sauveur. À son image, bien des personnes attendent ce Prince Charmant ou encore cette fée qui, de l'extérieur, assurera leur bonheur, leur dira quoi faire et agira parfois à leur place. Elles remettent ainsi leur pouvoir, sans discernement à d'autres, devenant la proie d'exploiteurs ou de manipulateurs.

Chapitre 4

Principes facilitant l'évolution

Plusieurs chemins et moyens s'offrent au chercheur pour atteindre Dieu, la conscience suprême. Leur efficacité s'accroît si l'on applique certains principes directeurs exposés dans ce chapitre.

Ces principes vous permettront d'arpenter une route de façon moins mécanique et donc d'être davantage créatif quant à votre évolution. L'itinéraire adopté n'est plus alors une fin en soi mais plutôt un outil facilitant la mise en application de préceptes. Vous pouvez changer de direction afin de tenir compte de facteurs personnels sans ralentir votre évolution ni mettre en péril votre salut.

À leur base, une attitude d'ouverture

L'être humain sous la tutelle de l'ego s'attache à des idées auxquelles il attribue une valeur positive ou négative. L'adhésion à ces concepts ainsi que les notions elles-mêmes agissent alors comme un écran qui déforme une juste vue de la réalité.

La vision réelle et fondée est du domaine de l'invisible et va au-delà des apparences. Ainsi lorsque vous écoutez une conférence, lorsque vous assistez à un atelier ou lorsque vous appliquez une technique, demeurez ouvert à ce qui peut émerger.

Vous y arriverez en observant ce qui se passe sans y accorder trop d'importance. À cet effet, n'essayez même pas de chasser les pensées qui vous viennent à l'esprit, même si elles sont incessantes, car ce faisant vous les renforcez. Il est préférable d'accepter votre mental agité et ses pensées associées. Il en est de même du bruit et d'autres conditions physiques dérangeantes.

Vous serez ainsi amené à mieux saisir certains sujets ou à vivre des expériences spirituelles ou encore, à solutionner des problèmes quotidiens concrets. À titre d'exemple, pendant des années, j'ai souffert de retenue intestinale. Au début, je n'étais pas inquiète outre mesure. Cependant avec le temps, puisque je n'y trouvais pas de solution, j'ai ressenti de plus en plus de colère au point d'en devenir enragée. Le jour ou je ne lui ai plus donné d'importance, des solutions ont commencé à poindre à l'horizon. Par divers traitements naturels, ma santé s'est améliorée. Par la suite, j'ai commencé à faire du yoga. Aujourd'hui, je peux affirmer que le problème s'est en grande partie résorbé.

Les découvertes que vous ferez vous seront propres mais ne devront d'aucune façon être comparées à celles obtenues par d'autres. Elles seront également fonction de votre direction, c'est-à-dire de ce que vous poursuivrez véritablement. Le chercheur qui désire percevoir Dieu, le percevra. Celui qui désire une amélioration technique, la trouvera. Cependant, il est impossible de déterminer à l'avance la spécificité de ce qui sera découvert, c'est-à-dire quel aspect de Dieu sera perçu ou quelle amélioration technique sera atteinte. C'est la raison pour laquelle demeurer ouvert à ce qui peut émerger est encore la meilleure attitude à adopter afin d'obtenir l'objet de vos souhaits.

Dialoguer avec l'ego

Comme le disait Socrate : " Connais-toi toi-même ". C'est aussi ce que suggère la spiritualité. Pour y arriver, dialoguer avec votre ego est d'un grand soutien. Ceci requiert d'accueillir vos observations sans jugement et non de les ignorer, les refouler ou les dénier.

Pendant ce dialogue, imaginez-vous être
le spectateur d'une pièce de théâtre
ayant la possibilité d'échanger avec
les acteurs sans pourtant en faire partie.

Vous pourrez ainsi rencontrer votre personnalité
qui se compose de divers éléments,
intellectuels (croyances, idées ou associations),
émotifs (chagrin, colère, joie, etc.) et
physiques (frisson, picotement, chair de poule).
Ceux-ci s'expriment par des regards, des paroles,
des gestes, des tendances et des fantasmes
dont les motivations sont profondes et cachées.

Vous pourrez aussi observer dans quelle
mesure vous vous acceptez et
ce qui freine votre mouvement d'évolution.

Une fois bien éclairé quant à votre ego, il vous
reviendra de répéter ou non les choix du passé.

Dialoguer avec mon ego, m'a été d'un grand secours. Suite à ma rupture avec mon ex-mari, il y a de cela 18 ans, je ne l'ai plus revu. Cependant, j'ai continué à ressentir beaucoup de colère à son égard, signe évident qu'aucune véritable guérison spirituelle n'avait eu lieu au cours de toutes ces années. Cette émotion trouvait sa source, tout au moins je le pensais, dans les nombreux compromis que j'avais acceptés pendant notre relation. Puis un jour, un thérapeute m'a suggéré de m'exprimer dans mes propres mots, en mettant de côté les belles paroles. Gênée de n'avoir pu éliminer en moi cette rage, je m'y accrochais obstinément, tellement convaincue d'avoir raison.

Cependant, pour la première fois depuis mon divorce, je me suis ouverte pleinement à ce que je ressentais. Il en est ressorti une chose à laquelle je ne m'attendais pas : je n'étais pas en colère à cause des compromis mais plutôt à cause du manque de respect de mon ex-mari à mon égard. Qu'il y ait eu ou non dans la réalité un tel manque importe peu, ce qui compte c'est la perception de cette réalité et le refoulement subséquent. J'ai laissé émerger ce qu'il y avait en moi, ce qui m'a permis de le laisser aller et ma colère s'est évanouie du même coup. J'ai accru ainsi de beaucoup, mon bien-être psychologique.

À ce sujet, une participante à un atelier me confiait que suite à un tel dialogue, elle avait contacté une grande tristesse liée à la mort de son père. Relâchant cette peine, elle avait ainsi créé un mouvement d'ouverture vers une relation amoureuse qui, peu de temps après, s'est concrétisée.

Le dialogue, lorsque associé à une attitude d'ouverture, amène à effectuer guérison après guérison. Certaines demanderont plus ou moins de temps ou d'énergie, d'autres apparaîtront peut-être impossibles à réaliser. Cependant, quelle que soit la guérison à effectuer, faire appel à Dieu constitue la solution idéale et la plus facile car, en plus, elle minimise les risques de récidive.

Dialoguer avec Dieu, pourquoi pas ?

En faisant appel à Dieu, vous faites appel à votre propre force intérieure, celle que vous partagez avec toute la création.

Selon la spiritualité, l'ensemble des problèmes rencontrés provient de l'ego. Puisqu'à la base même de l'ego se trouve le vide, soit le manque de l'Amour de Dieu et donc la peur, l'ego préférera trouver une solution autre que remonter à sa source. Il l'évitera en se concentrant exclusivement sur le monde extérieur. Par contre, faire appel à Dieu vous conduit hors de l'ego et permet d'affronter les problèmes, sans craindre ni ressentir cette peur viscérale.

À titre d'exemple, prenons Julie. Elle voit en son conjoint une façon de trouver l'amour qui lui manque. Mais ce dernier meurt dans un accident de voiture. Si Julie est entièrement sous l'égide de l'ego, elle pourra chercher à combler ce manque de la même façon que par le passé, c'est-à-dire en cherchant un nouveau conjoint. Ou encore, elle utilisera divers moyens palliatifs mais toujours extérieurs à elle, comme adopter un animal ou exercer une activité quelconque l'amenant à rencontrer des gens. Par contre si Julie fait appel à Dieu, il lui sera plus aisé d'affronter le vide d'amour en elle sans ressentir la peur qui lui est associée. Elle pourrait même prendre contact avec l'Amour de Dieu en elle. Ceci ne l'empêchera aucunement de désirer vivre à nouveau en couple et d'y accéder mais elle expérimentera un état de moindre dépendance quant à sa joie de vivre par rapport à des éléments qui lui sont extérieurs, comme dans ce cas-ci : un conjoint.

Voilà la raison pour laquelle les enseignements spirituels nous répètent que seul l'Amour divin guérit. Conséquemment, il nous faut le rechercher, ne pouvant faire le chemin seuls.

Ce Dieu nous semble réservé aux saints mais il n'en est rien car, chacun possède ce pouvoir de communiquer avec lui. Rien ne nous empêche toutefois de nous adresser à l'un de ses représentants divins et reconnus officiellement, comme Jésus-Christ ou la Vierge Marie dans la religion catholique, étant donné qu'il n'y a pas de différence entre lui et eux. Vous pouvez également faire appel à des entités qualifiées de divines tels les anges ou les saints. Encore là, aucune distinction entre Dieu et elles.

Dieu est votre plus grand et fidèle ami. Il ne vous juge point et vous écoute, peu importe ce que vous lui exprimez, que ce soit de la gratitude ou de la colère. Il entend toutes vos demandes, quoi que vous en pensiez, et y répond systématiquement sans que vous ayez besoin de les répéter. Si ses réponses n'arrivent pas nécessairement par le moyen de communication attendu, sous la forme et au moment voulu, c'est que l'être humain sous la tutelle de l'ego s'en est fait une idée préconçue, se fermant à des possibilités.

Sachant qu'il vous revient de décider de façon éclairée de votre destinée, vous devez demeurer ouvert à recevoir l'enseignement de Dieu. Dans cette perspective, la spiritualité vous suggère de lui demander les raisons d'une infortune plutôt que de chercher à gagner à la loterie ! Les réponses qu'il vous donnera pourront être très diversifiées et se situer sur des plans différents. Peut-être découvrirez-vous que le travail est là pour vous apprendre la patience, le conflit avec votre soeur, pour vaincre une colère, et ainsi de suite. Si vous éprouvez des difficultés à percevoir, à accepter ou à appliquer une réponse, n'hésitez pas à lui demander de l'aide.

Il est possible que ce que vous venez de lire ne vous enchante pas et détruise une image idyllique d'un Dieu parental. Mais un bon parent ne cherche-t-il pas à aider son enfant à devenir un adulte autonome et créatif ? Or, Dieu, peut vous aider en ce sens.

Demandez-lui de vous guider.
Vous deviendrez alors une plume que
son souffle divin conduira et déposera là
où elle est destinée à se rendre.

C'est dans une telle prière que se trouve la
vraie signification de l'offrande, celle du
don de soi à Dieu. Ce faisant, vous donnez
à Dieu la possibilité de s'exprimer à travers vous.

Votre demande entraînera un alignement
avec Dieu. Vous ne ferez plus qu'un avec lui.
Finalement, une telle requête apporte cette joie infinie
dans laquelle l'âme reconnaît
sa source et la création reconnaît son créateur,
celui qui l'entoure de son Amour, la
soutient et la protège.

En étant un avec lui, le mouvement d'Amour en vous devient naturel. Vous n'avez pas à essayer d'aimer, vous aimez. Vous n'avez pas à essayer de pardonner, vous pardonnez. Par conséquent, des aspects de votre vie comme travailler ou créer, qui pouvaient vous sembler difficiles ou insurmontables antérieurement, vous apparaissent plus faciles.

La prière peut se faire chaque matin et chaque soir, la régularité amenant l'enracinement de cet alignement. Aucune inclinaison, courbette ou invocation n'est nécessaire. Elle peut se faire aussi bien allongé dans votre lit qu'assis en position de lotus ou confortablement installé dans votre fauteuil préféré. L'humilité prend ici son vrai sens, c'est-à-dire qu'il ne revient plus à l'ego mais à Dieu de guider vos actions.

Qu'arrive-t-il alors ?

Le voyage intérieur que propose la spiritualité vous donne la possibilité de rediriger votre vie en fonction de votre vraie nature, soit en tant que Rayon de Dieu. Fini le temps de l'ego blessé qui vous conseillait en fonction de croyances et donc de limites. Vous accédez à quelque chose de merveilleux !

L'objectif de plein fonctionnement en tant que Rayon de Dieu ne s'atteint pas d'un coup de baguette magique ! Il s'agit d'un processus d'une longueur spécifique à chaque individu, d'un cheminement individuel à expérimenter et où vous ferez nombre de découvertes intéressantes.

C'est un mécanisme circulaire dans lequel deux pôles interagissent. Plus vous dialoguez avec votre ego et vous vous libérez de ses blessures, plus vous êtes en contact avec votre vraie nature, c'est-à-dire celle de Rayon de Dieu. Plus vous dialoguez avec le divin en vous, plus celui-ci vous éclaire sur votre ego. De tels dialogues peuvent parfois paraître difficiles, surtout s'ils sont troublés par des pensées agitées. Dans ce cas, faites appel à Dieu, dans une attitude d'ouverture, vous remémorant ainsi que vous êtes un Rayon de Dieu.

L'ego peut être comparé à un désert et Dieu à une oasis. Un désert demeurera toujours un désert, peu importe les efforts consacrés à sa transformation en oasis. Si effectivement il le devient, les efforts à déployer pour l'entretenir sont sans fin et exposés, un jour ou l'autre, à échouer. Et alors, il faudra tout recommencer. Il ne s'agit donc pas de transformer votre ego, mais de vous en libérer, tout en vous tournant vers Dieu, qui est éternel, afin de ne plus vous exposer à de nouvelles blessures et guérisons et ce, ad vitam aeternam.

En vous abandonnant à Dieu, vous ressentirez son Amour, son Abondance et ses autres bienfaits. Lorsque vous parvenez à un tel abandon, tous vos besoins sont comblés. Vous aurez délaissé l'ego, cette structure mentale vide, axée sur la croyance de la séparation d'avec Dieu. Vous aurez atteint un monde d'Amour, énergie par excellence de Dieu, un monde plein. Le vide qui était précédemment en vous sera remplacé par un sentiment de plénitude.

· *Réaction de l'ego par rapport à Dieu* ·

L'ego peut être comparé à l'Antéchrist, c'est à dire l'ennemi du Christ, lui-même Fils de Dieu et l'ennemi de chacun d'entre nous.

Lorsque vous décidez de vous aligner sur Dieu, ne soyez pas surpris de voir votre ego s'y opposer en invoquant nombre de justifications, toutes meilleures les unes que les autres, et souvent difficiles à réfuter. C'est que voyez-vous, choisir Dieu oblige à porter un regard sur votre être intérieur, vous amenant à toucher les points les plus négatifs de votre ego. Cette introspection vous donnera sans doute le goût de fuir. Et la façon la plus simple de fuir, c'est de porter exclusivement un regard sur ce qu'il y a en dehors de vous.

Heureusement, faire appel à Dieu vous permet de mettre de côté cet ego récalcitrant dont la nature est à la base viciée. En effet, il a engendré en lui un immense labyrinthe émotif dont l'inconvénient majeur est la difficulté d'en sortir, comme c'est le cas pour tous les labyrinthes. C'est d'ailleurs la raison pour laquelle la spiritualité désavoue parfois la psychologie, perçue par elle comme un danger pour le chercheur de se perdre dans les dédales de l'ego. Je ne partage pas cet avis. Selon moi, une personne vraiment désireuse de trouver une solution à ses problèmes démontrera suffisamment d'ouverture pour découvrir les solutions appropriées. Dieu est une force en nous et ne se réclame ni de la spiritualité, ni de la psychologie. Il est au dessus de tout. Il réalise des choses sur une base anonyme, n'ayant aucun besoin d'être reconnu comme l'ego.

D'une nature compétitive, l'ego aimerait faire croire que l'abandon à Dieu représente une soumission. Il n'en est pourtant rien. En vous remettant à Dieu, vous répondez simplement à votre vraie nature, soit celle de Rayon de Dieu. Faisant un avec lui, votre volonté est la sienne et vice versa. N'étant plus limité par quoi que ce soit, vous retrouvez ainsi votre liberté. Votre vraie nature vous appelle à une telle fusion.

Cependant dans ce désir de faire la volonté de Dieu, souvenez vous de la suggestion de *Un Cours en Miracles* ; rappelez-vous que la vénération n'est réservée qu'à Dieu alors que la considération et le respect reviennent à nos frères et soeurs. Des guides aux apparences différentes vous soutiendront dans votre quête. Cependant aussi bons soient-ils, ils ne sont pas Dieu et c'est la volonté de Dieu seul et non la leur qu'il faut rechercher. Dieu ne vous demande aucunement d'être stupide, ignare ou encore d'accepter de vous faire maltraiter ou exploiter puisque vous êtes son Être même.

Lorsque l'ego se voit forcé par votre volonté de s'aligner sur Dieu, il mettra l'accent entre autres, sur le respect de dogmes, d'invocations, de normes ou de rituels. Il tentera de vous faire croire qu'à défaut de vous conformer, point de contact avec Dieu et point de salut pour vous. L'ego est en fait un grand récupérateur de tout mais, à ses propres fins. Il utilise, dans les faits, des enseignements fort valables mais qu'il faussera dans leur interprétation afin de permettre à ses propres croyances, ainsi qu'à ses sentiments ou émotions associés, de s'exprimer. Certes, dogmes, rituels et autres ne doivent pas être bannis puisqu'ils peuvent être des outils fort acceptables, mais ils ne sont pas une fin en soi.

Les guerres de religion sont des exemples frappants et cruels de l'ego élevé de façon erronée à un niveau de spiritualité et qui devient ainsi le pire des ego. Se croyant en possession de la seule vérité, donc d'une valeur qui relègue au rang des bannis tous ceux qui n'y adhèrent pas ; les membres extrémistes de certaines religions se pensent exempts de tout blâme lors d'actes de haine et de vengeance allant jusqu'à la barbarie. Les excès en cette matière sont généralement observés lorsque des gens s'en remettent aveuglément à d'autres, sans réfléchir au bien-fondé de ce qui leur est demandé. Ils déposent leur pouvoir dans les mains d'autrui au lieu d'agir avec discernement et de conserver leur libre arbitre.

En conclusion, à ce point de votre lecture, il se peut que vous ne soyez pas convaincu de la validité de faire appel à Dieu. C'est votre droit le plus strict. Peut-être croyez-vous en un Dieu rattaché à une religion particulière, ou que pour vous le terme Dieu revêt une connotation trop religieuse à laquelle vous ne donnez aucun crédit. Faites alors appel à ce que vous croyez être votre véritable nature dans son sens le plus noble. Certains lui donnent le nom d'Intuition ou de Lumière et c'est parfait. Votre vérité est aussi bonne que celle d'un autre.

Chapitre 5

Des chemins parcourus

Atteindre le plus haut niveau d'évolution de la conscience, soit Dieu, peut se faire en empruntant une multitude de chemins, comprenant eux-mêmes généralement plusieurs moyens. Je vous présente dans ce chapitre ceux que j'ai utilisés le plus récemment.

Par chemins, on entend courants de pensée et par moyens, des outils qui en permettent l'application tels que exercice, lecture, méditation ou pratique, etc. Le terme cheminement se réfère aussi bien à l'ensemble des chemins empruntés pour évoluer qu'au vécu du chercheur et aux résultats obtenus au cours de son évolution.

Éléments clés

Avant d'aller plus loin dans ce chapitre, j'aimerais vous résumer les éléments importants livrés jusqu'à maintenant dans ce livre :

- *Tenez toujours compte de l'appel du coeur dans le choix d'un chemin ou moyen. Cependant, ne vous laissez jamais abuser psychologiquement, physiquement ou financièrement par ses partisans. Ceci vous permettra d'évoluer en toute sécurité.*

- *Usez de discernement quant à la qualité, l'interprétation et l'application des enseignements reçus. En effet, l'ego revêt parfois les couleurs de la vertu.*

- *Appliquez les principes directeurs qui sont les suivants : dialoguez avec votre ego et avec Dieu afin d'accroître votre propre connaissance de vous-même, dans une attitude d'ouverture face à ce qui se présentera. L'ego ayant peur d'être confronté, faire appel à Dieu devient alors la solution la plus facile et la plus évolutive. Dieu est votre force intérieure suprême, quel que soit le nom que vous lui donniez.*

- *Souvenez-vous que peu importe ce que vous avez dit ou fait, Dieu ne voit en vous que sa propre Lumière. Nous possédons tous cette Lumière. Ce qui nous différencie, c'est le degré de transparence de notre ego, c'est-à-dire dans quelle mesure nous laissons la Lumière divine s'exprimer à travers nous, ce degré étant un secret bien gardé entre Dieu et notre âme ou Rayon de Dieu.*

Les chemins et les moyens qui y sont associés sont là pour vous aider dans l'application des principes directeurs. Que leur ordre de présentation, leur description et leurs anecdotes ne vous induisent pas en erreur quant à leur importance. Ils le sont tous puisqu'en définitive, il revient à vous seul de décider de leur valeur à vos yeux. Ils sont comme les barreaux d'une échelle. Est-ce le premier, le deuxième ou encore le dixième qui est le plus important ? Est-ce un barreau en bois, en fer ou en or ? Aucun d'entre eux n'est ni plus ni moins important car l'un ne peut être atteint sans que l'autre ne le soit. Le chemin qui retient votre attention n'est pas supérieur à un autre. Il est simplement celui qui vous convient le mieux, pour des raisons que vous seul connaissez ou ignorez. Aucune comparaison n'est possible entre ces divers chemins et leurs moyens. Leurs coûts seront également ceux que vous choisirez. Il y a en pour tous les goûts et toutes les bourses.

Dieu est au-dessus de tout mouvement, et également de toute religion. Ce n'est pas un chemin spécifique qui vous en rapprochera mais ce que vous en faites. Se rapprocher de Dieu relève du domaine de l'expérience et non de la simple connaissance intellectuelle. Cela peut aussi bien signifier, être suffisamment ouvert pour percevoir la réponse demandée qu'être en contact avec l'univers entier.

Dieu vous respecte dans vos choix et ne vous aimera pas moins ou davantage en raison du chemin que vous avez choisi. J'ai été à même de le constater lors d'un atelier en République Dominicaine au cours duquel les Anges Xedah nous en avaient proposé un second dans le but de soutenir notre évolution. Je ne savais si je devais y participer, alors je m'en suis remise à En-Haut et à ma grande surprise il m'a été plutôt conseillé de prendre soin de moi. Mon âme désirait participer à ce deuxième atelier, mais non ma personnalité. Il y avait tellement d'amour dans cette réponse que je ne pouvais douter ni de sa provenance, ni de sa validité. Dieu accepte chacun de nous, sans jugement, tel qu'il est.

La spiritualité n'a pas pour but de vous décharger de vos fardeaux mais plutôt de vous donner les outils, soit des chemins et moyens, pour que vous le fassiez par vous-même. En ce sens, elle n'est pas votre sauveur car elle reconnaît en vous votre propre Puissance. Vous êtes le seul juge de votre destinée et aucun autre maître, spirituel ou autre, ne peut se substituer à vous. La spiritualité n'est là que pour vous montrer une voie. Il ne tient qu'à vous de l'emprunter.

Siddha Yoga

Gurumayi, considérée comme la mère des gurus, est à la tête d'un des plus grands mouvements de méditation au monde, le Siddha Yoga. Son mouvement compte à travers la planète plusieurs centaines de centres, des séances audio ou audiovisuelles ainsi que plusieurs oeuvres de bienfaisance venant en aide à des démunis.

Gurumayi est reconnue en Inde comme étant un sadguru, tout comme son maître Muktananda. Je n'ai vu ce dernier qu'en photo. Il arborait un immense sourire, portait des lunettes fumées et soudainement j'ai eu l'impression de me retrouver devant une vedette rock qui m'a littéralement fait fondre ! C'est ainsi que j'ai découvert que les saints revêtent les apparences les plus diverses : du sévère au décontracté. Leur point commun est davantage la discipline qu'ils appliquent et requièrent de leurs disciples afin d'aller au-delà de l'ego, rejoindre Dieu et ainsi connaître la joie véritable. Pour l'avoir éprouvée moi-même lors d'un contact avec Dieu, même si cela n'a duré qu'une seconde, ces saints ressentent une joie peu commune. Celle-ci n'est fonction de rien, elle est pétillante et pourrait être comparée à l'effervescence d'une boisson gazeuse nouvellement ouverte.

Un sadguru est un maître qui amène le chercheur de l'ombre à la Lumière, la particularité de son enseignement consiste à transmettre à celui-ci l'énergie lui permettant de débuter son cheminement vers Dieu. Il est le guru des gurus. Il est le guru suprême. Si on fait le parallèle avec un système d'instruction, Gurumayi serait de niveau post-doctoral ! Cette femme a atteint l'état d'illumination, c'est-à-dire qu'elle est continuellement en contact avec Dieu, acceptant de se laisser guider en tout temps par lui. Elle est l'un de ses rares Rayons sur terre à exprimer entièrement et sans aucune restriction sa qualité divine.

C'est lors d'une méditation dans le hall central de l'ashram de South Fallsburg, aux États-Unis, que j'ai perçu l'état dans lequel Gurimayi baigne constamment. J'avais les yeux fermés et puis sans aucune raison particulière je les ai ouverts. Elle était là, assise à l'avant, complètement en relation avec Dieu. C'est ainsi qu'En-Haut venait de répondre à l'une de mes questions, posée un an auparavant : Qui est Gurumayi ?

Elle dirige un mouvement basé sur le shivaïsme axé sur l'identification de notre véritable nature. " Om namah Shivaya " est le mantra suprême, purificateur et élévateur de la conscience qui soutient la démarche. Il signifie " Je suis et j'honore le Dieu qui est en moi ". Loin de considérer que l'être humain est un pécheur, ce mantra affirme plutôt sa nature divine. Une mention particulière pour le " Om " : selon le shivaïsme, il serait le son primordial de l'univers et répété constamment par tout ce qui constitue l'univers, que ce soit un atome, un arbre ou le feu.

Le mantra peut être répété de façon quotidienne ou encore dans des méditations afin de calmer le mental et de l'élever. En fait, le principe d'un mantra est d'occuper le mental en redirigeant ses énergies vers une pensée, en l'occurrence ici, saine. Lorsque chanté, il facilite l'atteinte d'un silence intérieur favorisant la méditation. C'est la raison pour laquelle un mantra chanté précède fréquemment une méditation. Il permet au chercheur de libérer des sanskaras ou impressions, c'est-à-dire des particularités de son ego en matière de croyances, de sentiments, d'émotions, etc. Ces kryas peuvent prendre la forme de larmes ou encore de mouvements spontanés de yoga. Dans les faits, l'énergie divine purifie ainsi un être de différentes façons.

Le mouvement de méditation siddha, dirigé par Gurumayi, est d'origine indienne et a emprunté à cette culture ses couleurs, ses fleurs, son mode d'expression artistique élaboré, tout comme son amour pour Dieu. Bien que le mouvement soit assez éloigné du mode de fonctionnement de la plupart de nos communautés ecclésiastiques, chrétiennes, européennes et nord-américaines, je n'ai aucune crainte à affirmer qu'il n'est pas une secte puisqu'il est basé sur le respect de chaque individu. En effet, le mouvement de méditation siddha voit Dieu en chaque individu. Chacun de ses centres est dirigé par un comité et le fonctionnement est assuré par l'ensemble des méditants selon leurs intérêts, leurs disponibilités et ce, sans obligation de leur part. Cet apport des méditants est qualifié de seva, signifiant le service à Dieu, dans le sens de se laisser guider par lui.

Il existe un centre de méditation siddha à Montréal, d'autres à travers le Canada, les États-Unis et le monde. Il existe aussi deux ashram, lieux où des méditants peuvent vivre tout en continuant leur démarche spirituelle, un à Ganeshpoori dans le Nord de l'Inde et un autre à South Fallsburg dans les Catskills au Nord-Est des États-Unis. L'organisation de ces ashrams ressemble à celle de nos communautés chrétiennes. Diverses activités y sont pratiquées telles que la méditation, la prière, le chant et le seva, partagées selon un horaire défini.

· *Variations dans la méditation* ·

La méditation n'est pas le bien exclusif d'un seul mouvement de croissance personnelle, charismatique, religieux ou spirituel mais, plusieurs de ces mouvements en proposent l'utilisation selon des techniques qui leur sont propres.

Méditer signifie penser à, ce qui est le lot de tout être humain et sert souvent à des préoccupations beaucoup plus terre à terre que spirituelles. Ce qui diffère d'une méditation à l'autre, c'est l'objet et la technique. L'objet pourrait être, à titre d'exemple, Dieu ou l'énergie de guérison, la technique pourrait être, la répétition d'un mantra, la formulation d'une question de type zen dont le but est de court-circuiter la logique mentale ou encore l'observation de la respiration.

Lors de vos premières méditations, vous bénéficierez peut-être de la chance des débutants et vivrez ainsi rapidement une expérience spirituelle. Ne vous attendant à rien, vous aurez fait preuve par conséquent d'une très grande ouverture. Ne soyez toutefois pas surpris si par la suite vous constatez que vos méditations ne sont pas comme les premières et que les expériences se font attendre. Votre ego pourrait s'agiter croyant que plus rien ne se passe et que finalement méditer, ça ne rapporte rien. C'est alors que le vieil adage " Cent fois sur le métier, remettez votre ouvrage " prend tout son sens. Il en est de même pour les effets positifs qui suivent la méditation et qui, dès le début, peuvent être appréciables. Si c'est le cas, c'est que vous en aviez bien besoin. Si vous désirez des résultats durables et profonds, seule la pratique régulière vous les apportera. En ce sens, la spiritualité ne diffère aucunement de l'acquisition d'une expertise qu'ici la spiritualité qualifie d'expérience.

Si vous désirez méditer, choisissez dans un premier temps une activité vous permettant de vous détendre telle que laver votre vaisselle ou écouter de la musique douce. Faire votre vaisselle comporte deux avantages : mettre de l'ordre dans votre maison et puisqu'il s'agit d'une activité physique, de ne pas faire appel à un mental souvent perturbé par l'ego. La répétition d'un mantra tout comme l'observation du silence, peuvent également vous aider en ce sens avant et après la méditation.

Parfois, rien n'y fait pour calmer ces pensées vagabondes. Ne vous en inquiétez pas outre mesure ! La méditation est là pour vous aider à y arriver. Avec le temps, elle fera son oeuvre. Si au cours de cette séance, votre mental est confus ou agité, revenez doucement à votre technique. Avec la pratique, un calme s'installera en vous. Ne vous étonnez pas que ce calme nouvellement acquis soit entrecoupé de périodes d'agitation. Souvenez-vous que l'émergence des souffrances et des croyances à leur source, fait partie du processus de guérison, donc de purification de l'ego. La méditation est un des nombreux moyens pour y parvenir.

La position la plus usuelle pour méditer est de s'asseoir sur le sol, le dos maintenu droit mais, sans effort. Une telle posture vous assure une respiration qui maintient en éveil. La pose à privilégier est celle du lotus puisqu'elle permet d'être assis sur les eschions et non sur le coccyx, les hanches se retrouvant sans tension. Mais pour la plupart d'entre nous, une telle façon de s'asseoir ne fait pas partie de notre quotidien. Des coussins peuvent être utilisés afin de relever suffisamment le bas du dos et d'atteindre le confort recherché. Il existe également des bancs de méditation dont l'inclinaison favorise le redressement de la colonne et offre aux jambes l'espace nécessaire pour s'y replier en dessous, en parallèle plutôt qu'en croisé, cette position étant généralement difficile pour la majorité d'entre nous. De tels bancs ont inspiré la conception de sièges ergonomiques pour les amateurs d'informatique. Une chaise peut aussi bien faire l'affaire ! Il ne s'agit pas d'être parfait mais plutôt de tendre vers la posture de méditation suggérée, tout en demeurant à l'aise. Vous vous assurerez ainsi que la méditation restera une activité agréable.

À moins d'instructions ou de conditions particulières, il n'est pas recommandé de méditer le corps allongé, cette position étant davantage associée au sommeil. Vous risquez ainsi de vous retrouver dans les bras de Morphée puisque la méditation amène la relaxation. Toutefois, que vous méditiez en position assise ou couchée, vous n'êtes pas à l'abri de sombrer dans un sommeil réparateur. Un tel abandon dans l'inconscience est parfois nécessaire, l'énergie de guérison elle-même le jugeant ainsi et vous y conduisant.

Mouvement Amérindien

Je n'ai pas retiré d'enseignement particulier lorsque j'ai emprunté ce chemin, aussi nommé Red Path. J'ai plutôt participé, entre autres, à des rencontres dans des loges de sudation qui, selon ce qui m'a été rapporté, sont typiques de plusieurs nations amérindiennes. Lors de ces rencontres, on priait l'Être suprême de notre choix.

Une loge de sudation ressemble à un minuscule tipi ne dépassant pas les deux tiers de la hauteur d'un homme. On y pénètre courbé ou à genoux. En son centre se trouve un trou creusé dans la terre où des pierres chauffées sont déposées et arrosées dans le but de recréer physiquement l'atmosphère d'un sauna. Elles peuvent contenir près de 15 personnes.

Lorsque j'ai participé à ces loges, aucun rituel n'accompagnait leur tenue, il y avait seulement un guide reconnu pour sa capacité à les diriger. Les participants se retrouvaient autour d'un feu extérieur chargé de chauffer les pierres. Lorsque celles-ci atteignaient la chaleur désirée, le guide nous invitait à pénétrer dans le tipi, vêtus d'une serviette enroulée autour du corps. La séance elle-même pouvait ainsi débuter. Assis sur la terre battue et collés les uns aux autres pendant près d'une heure et demi, on priait et chantait en quatre temps séparés par ce que l'on appelle des portes. Ces portes correspondaient aux moments où le tipi est ouvert à nouveau afin de permettre, au besoin, le rajout de pierres ou au contraire à la température intérieure de diminuer. C'est le guide qui en décidait ainsi selon ce que commandait l'énergie du moment. À l'occasion, le guide brûlait de la sauge qui est reconnue pour ses vertues médicinale et purificatrice. Ces séances étaient suivies d'un repas où chacun participait en apportant de la nourriture. J'y retrouvais alors le plaisir d'être en communauté.

Les loges de sudation peuvent se tenir en tout temps, même par temps pluvieux ou froid. De prime abord, cela m'est apparu peu concevable, mais ça l'est. Dans ces cas, les participants s'y rendent avec manteau et bottes qu'ils laissent à l'extérieur avant de pénétrer sous la tente. Lorsqu'on en sort, le corps surchauffé ressent peu le froid extérieur. Cela m'a d'ailleurs amenée à redéfinir ma relation avec les éléments extérieurs que je ne perçois plus comme étant contre moi mais plutôt neutres et ne constituant pas nécessairement la cause de maladies.

J'ai particulièrement aimé cette expérience pour l'impression combien relaxante et purifiante de reprendre contact avec la terre. Pour moi, le sentiment d'être débarrassé de toute intellectualité, de tout bien et de toute réalisation extérieure, pour revenir simplement à une communication avec la Terre Mère est devenu une nécessité délicieuse offrant une possibilité de régénération à plus d'un niveau.

Il existe également des rencontres qui se tiennent dans d'immenses tipis. Elles diffèrent de celles tenues dans les loges de sudation sur plusieurs points. Elles durent de huit heures du soir à huit heures du matin soit, douze heures au lieu d'une heure et demie. Tenues dans un tipi dont la hauteur est plutôt respectable pour nos esprits occidentaux puisqu'on peut s'y tenir debout, il y a en son centre un immense feu qui n'entraîne par contre aucune sudation. Encore là, prières et chants en font partie mais sont accompagnés de payote, plante indigène du Sud des États-Unis dont l'importation est légale au Canada, et qui, réduite en poudre et ingérée, possède la propriété de nettoyer le corps. Cette plante a des propriétés hallucinogènes. Par contre dans un contexte de prière, elle apporte une guérison spirituelle au chercheur en lui montrant ce qu'il ne veut pas voir. J'ai tenté l'expérience de ces longues nuits sans sommeil, et laissez-moi vous dire qu'elles en valaient la peine.

De façon générale, ces rencontres qu'elles soient dans des loges de sudation ou sous d'immenses tipis, m'ont aidée, en calmant des peurs et en me forçant à profiter du moment présent pour ensuite poursuivre ma route avec davantage de quiétude. D'ailleurs c'est à leur contact que j'ai recommencé à écrire.

Ces réunions sont généralement réservées à des Amérindiens. Cependant, la philosophie du groupe qui me les a fait connaître certifiait que la couleur de la peau n'était pas indicatrice de la couleur du coeur ; une peau rouge peut contenir un coeur blanc, une peau blanche, un coeur rouge. Ce groupe reconnaissait également en chacun de nous son frère ou sa soeur.

J'ai découvert depuis que l'expérience amérindienne est beaucoup plus accessible que je ne le croyais. La communauté à laquelle j'appartenais tenait ces rencontres sur une base informelle et non officielle. Si vous désirez participer à l'une d'elles, consultez les revues spécialisées en croissance personnelle tel le Guide Ressources où, à l'occasion, elles font partie d'ateliers. Vous pouvez également contacter l'organisme Ho-Rites de Passage [11].

· L'enracinement ·

Le Mouvement Amérindien est très lié à la terre. L'enracinement de tous les êtres l'est aussi, bien qu'il n'y soit pas limité. L'imagerie tirée de la nature laisse supposer que seule la terre en est la détentrice. Pourtant, il est possible de s'enraciner autant dans le ciel que sur la terre. Ces deux éléments représentant respectivement les énergies Yang et Yin, le Père et la Mère, la conscience et l'énergie vitale et, somme toute, ce ne sont que des aspects différents de Dieu.

Être enraciné signifie être en contact avec sa véritable nature, soit divine et ce dans toutes les parcelles de notre être. Généralement et théoriquement, l'enracinement s'effectue du ciel vers la terre, c'est-à-dire des chakras du haut vers ceux du bas afin d'assurer à chaque individu qu'il sera en mesure de rencontrer, à chaque étape de son développement, sa réalité intérieure. Un enracinement qui aurait été provoqué intentionnellement dans le sens contraire par des exercices pourrait mettre sérieusement en danger tant la vie psychologique que physique de l'individu. En effet, celui-ci n'aurait pas alors la force nécessaire pour faire face à une multitude d'éléments psychologiques enfouis jusqu'alors dans son inconscient. Un ancrage inversé correspond à une montée, forcée et non naturelle, de la Kundalini, soit l'énergie vitale de la base appelée aussi Shakti, qui s'élève à travers la colonne vertébrale. En pratique, il revient à l'énergie de décider où, quand et comment la purification doit se faire. Celle-ci élimine les masses énergétiques bloquant la libre expression de la nature divine, ces masses correspondant aux sentiments et émotions générés par les croyances. Cependant la majorité d'entre nous n'a rien à craindre à ce niveau puisque nous ne recherchons pas une telle performance.

Un être bien ancré est à l'écoute de ce qu'il a en lui, sans se juger. Il est en mesure d'y faire face, de répondre à ses besoins puis d'agir en conséquence. Il accepte de ressentir son être intérieur. Ses besoins peuvent être autant intellectuels, psychologiques que physiques. L'être enraciné est donc également conscient des nécessités de la vie matérielle et est capable de transformer ses rêves en réalité ainsi que de surmonter relativement bien les difficultés de la vie. Il jouit généralement d'une bonne santé étant mieux en contact avec sa nature véritable, donc il se détache aisément de ce qui n'est pas en accord avec celle-ci.

L'être déraciné vit une situation totalement contraire. Il n'est pas à l'écoute de lui-même. Il éprouve des difficultés à répondre à ses besoins ainsi qu'à agir en conséquence. Il refuse de ressentir ce qu'il y a en lui. À l'image d'une plante vivant le même état, il se sentira ballotté par la vie sans réagir en vue de régler une situation. Il a tendance à fuir, c'est-à-dire à refuser de contacter ses véritables besoins. Pour ce faire, il pourra se tenir occupé par des rêveries ou par diverses activités telles que boire, se droguer, manger, etc. Il vivra de la dépendance et de l'attachement selon le moyen de fuite choisi, croyant y trouver la source de son bonheur. Ses activités lui servent souvent de compensation dans une situation insatisfaisante mais sans pour autant qu'une solution y soit apportée. L'important n'est pas de rejeter les moyens de fuite, à moins que ceux-ci ne soient néfastes, mais plutôt de regarder la motivation qui les anime. Dans certaines situations, la fuite apporte une aide et du plaisir, fournissant relaxation et distance par rapport à un problème particulier. Dans ce cas, tant mieux mais, pour autant que l'être déraciné n'utilise cette voie qu'à court terme et trouve à plus ou moins long terme une solution à ses problèmes. À l'extrême, un tel être peut s'autodétruire par la maladie, la perversion ou le suicide, sa santé mentale étant fortement amenuisée.

Désirer s'enraciner, c'est avant tout accepter de regarder ce qu'il y a en vous. Plus vous vous enracinez, plus vous entrez en contact avec votre véritable nature, celle de Rayon de Dieu. Votre ego ne s'en trouvera que plus transparent, car tel un vêtement élimé, il laissera transparaître davantage de Lumière, soit votre véritable nature, révélant ainsi l'être que vous êtes vraiment.

Il se peut que les chemins décrits dans ce livre et visant votre enracinement ne vous attirent pas. Faites alors des activités agréables et n'impliquant pas votre mental. Elles peuvent être relaxantes, créatives, manuelles ou physiques telles que la couture, la peinture, la randonnée pédestre ou à vélo, le jardinage et bien d'autres. Par les activités manuelles ou physiques, vous vous permettez de communiquer avec la terre dans son énergie vitale et nourricière. Selon un frère franciscain que j'ai rencontré, les communautés religieuses encouragent la pratique d'activités manuelles ou physiques pour occuper le corps dans le but justement de libérer le mental de pensées encombrantes. Votre mental, et donc l'ego à sa source, prend ainsi congé et n'en sera que moins agité, donc plus clair par la suite, de cette manière, la paix de l'esprit sera à votre portée. Il n'y a rien de mal aux activités intellectuelles mais elles peuvent grandement déstabiliser car, en s'y adonnant trop, nous risquons d'ignorer nos ressentis intérieurs.

Cependant aucun type d'activité qu'elle soit intellectuelle, émotionnelle ou physique n'est la panacée à tous les problèmes. De là, la nécessité d'avoir une vie équilibrée partagée entre divers genres d'occupations, tout en respectant bien sûr vos inclinations principales.

Écho

Selon les recherches entreprises par le docteur Jean-Charles Crombez et son équipe du Campus Notre-Dame du Centre Hospitalier de l'Université de Montréal (CHUM), le processus naturel de guérison diffère selon chaque personne. Écho, est une méthode permettant de trouver en soi la technique qui nous est propre, c'est une réalisation très importante dans la voie de l'autoguérison.

La méthode Écho est utilisée par des patients de l'hôpital, entre autres, dans le traitement du cancer. Elle est également offerte sous forme d'ateliers au Centre St-Pierre de Montréal, deux saisons par année, soit l'automne et l'hiver. Ce centre offre à des coûts très raisonnables, une grande variété de conférences et d'ateliers concernant la relation d'aide et la spiritualité. Écho est une méthode qui m'est particulièrement chère parce qu'elle m'a fait sentir libre d'être ce que je suis. Le sommeil constitue mon refuge préféré quand j'ai un problème. Des personnes m'avaient d'ailleurs taquinée à ce propos ! Ainsi, durant presque toutes les séances de l'atelier relatif à cette méthode, j'ai dormi ! Quand, à la fin du cours j'ai exprimé mon intention de le suivre à nouveau parce que j'y avais sommeillé la majeure partie du temps, tout le monde a éclaté de rire !

Pourtant, cela a quand même fonctionné. J'en ai retiré un résultat majeur ! Maintenant, émotionnellement parlant, je me dégage beaucoup plus rapidement de ce qui se passe en moi et autour de moi. Mes sentiments et mes émotions comme les évènements extérieurs sont devenus pour moi des objets, ce qui fait que j'ai moins tendance à m'identifier à mon ego. Cela prouve que même dans le sommeil, le travail s'effectue !

La méthode Écho amène à reprendre contact avec le corps, ce grand entrepôt de l'ego individuel. Celui-ci y emmagasine sentiments, émotions et croyances à leurs sources. Un dialogue peut être établi avec ce qui est ressenti donc, avec l'ego. Cette méthode se déroule dans les grandes lignes suivantes :

Le chercheur adopte la position de témoin
par rapport aux impressions qui sont là,
sans jugement ni critique d'aucune sorte.

Il observe ce qui remue en lui : tout mouvement
intérieur comme extérieur tel que respiration,
action d'avaler, bruits provenant
de personnes et de leurs déplacements, musique,
circulation automobile, etc. Certes il
est naturel de porter une attention particulière
à un mouvement plutôt qu'à un autre
et aux sensations qui naissent à son contact.

Par la suite, il établit un dialogue avec ce
qui a retenu son attention.

Il évite de se questionner sur sa cause car
ceci introduit une logique. Toute logique
met un frein à une expression. Il s'agit
plutôt de poser, entre autres, les questions
suivantes ; Qu'est-ce que je ressens ?, Où ?,
Quelle forme cela prend-il ?, Sa couleur ?,
Comment ?, Est-ce que je peux t'aider ?, etc.

Finalement, il laisse monter la ou les réponses,
sans savoir lesquelles se pointeront.
Elles peuvent prendre la forme d'un
sentiment, d'une émotion, d'une image, etc.
C'est la création sans aucune intervention
de sa part.

Écho donne une grande liberté à la personne qui l'emploie. En effet, et aussi bizarre que cela puisse sembler, il est possible de suivre ou non les instructions. Quitter la pièce où cette méthode se déroule est même permis ! La méthode s'applique selon le bon vouloir et la tolérance du participant, dans le respect de lui-même, tout en apprivoisant graduellement un élément de sa vie qui se présente à lui.

Expérimenter la méthode de façon guidée permet de mieux en comprendre les bases. Des échanges entre tous les membres du groupe, participants et animateur, viennent compléter l'apprentissage effectué. L'adhérent peut par la suite, sur une base individuelle, appliquer cette méthode dans sa vie quotidienne.

· Bonne St-Valentin ·

Écho m'a donné la possibilité de m'aimer. L'année où j'ai suivi cette méthode, j'ai célébré la Saint-Valentin aux chandelles, accompagnée d'une bonne bouteille de vin et de moi-même. C'est d'ailleurs une de mes recommandations : fêtez-vous ! Peu importe si vous le faites seul, avec un ami, un amoureux, un parent, une connaissance ou en groupe, offrez-vous de l'amour, vous le valez bien !

Il est important de s'aimer. C'est ce que me faisait remarquer un thérapeute au niveau de la santé physique, il disait que les gens ne s'aiment pas assez et développent en conséquence divers maux physiques ou moraux. Je ne parle pas ici de s'aimer en excluant les autres, je parle de s'aimer tout en aimant les autres. L'amour de soi a été longtemps associé à de l'égoïsme. Aujourd'hui, j'ai l'intime conviction que s'aimer, c'est rendre service à la fois à soi-même et aux autres. Si vous vous appréciez, vous prendrez davantage soin de vous moralement et physiquement et par conséquent, serez davantage heureux. Votre compagnie sera d'autant plus prisée que vous manifesterez du bonheur. Vous ne pouvez donner ce que vous n'avez pas.

S'aimer, c'est se reconnaître et s'apprécier dans sa différence. J'ai cru longtemps que le but de la spiritualité était de rendre tous les êtres humains identiques les uns aux autres. Or, ce n'est pas le cas. La spiritualité ne vise pas à niveler les différences mais plutôt à modifier les modes de comportement. Ainsi, au lieu d'être à la solde de l'ego et donc de reproduire des modèles de vie souvent insatisfaisants et limitatifs, la spiritualité propose de mettre cet ego de côté pour permettre à votre vraie nature de s'exprimer en tant que Rayon de Dieu. Elle vous conduit dans le domaine de l'Amour, de la Joie et de la Création.

Un Cours en Miracles

Au Centre médical de l'Université Columbia où Helen Schucman et William Thetford travaillaient à titre de psychologues, les relations qu'ils entretenaient entre eux ainsi qu'avec d'autres de leurs collègues étaient tendues et difficiles. Tellement, qu'un jour William fatigué par cette situation dit à Helen, qu'il devait bien y avoir une autre façon de fonctionner. C'est alors qu'Helen commença à écrire le livre *Un Cours en Miracles*, sous la direction, selon ses dires, de Jésus-Christ lui-même.

Le cas d'Helen en est un de médiumnité consciente. C'est-à-dire, qu'elle demeurait lucide pendant la transmission du contenu des communications qui lui étaient adressées. Cela est d'autant plus extraordinaire qu'elle se croyait fermement athée. Lorsqu'elle demanda de lui fournir les motifs justifiant le choix de sa personne pour un tel travail, Jésus-Christ lui répondit qu'elle le faisait déjà. Helen en a déduit que probablement à un autre niveau, elle l'avait déjà accepté. En effet, certains courants de pensée en spiritualité, croient qu'une âme avant de se réincarner choisit le chemin à parcourir dans sa prochaine vie.

Un Cours en Miracles ne s'institue pas comme étant la seule voie pour parvenir à Dieu. Il y en aurait semble-t-il, des milliers pouvant y conduire. Comme le souligne Kenneth Wapnick dans son livre *Introduction générale à UN COURS EN MIRACLES* [19], nous n'avons pas à nous culpabiliser de choisir un chemin autre que celui présenté par Helen.

Ce cours comprend des enseignements, des leçons quotidiennes et des réponses à maintes questions qui permettent au chercheur de mieux comprendre diverses notions présentées. Son but est d'aider le participant à reprendre contact avec Dieu tout en corrigeant des perceptions telles que le péché, la culpabilité et la peur, éléments à la base même de l'ego. Grâce à ce cours, j'ai été témoin de la peur ressentie par mon ego à la vue de Dieu, sans pourtant éprouver moi-même cette crainte. Ceci m'aurait été impossible sans l'aide de Dieu ou d'un de ses représentants. Pourtant à la lecture du cours, je n'avais souvent qu'un souhait : dormir. C'était en fait ma propre résistance au message véhiculé qui s'exprimait de cette façon. Malgré tout, ce cours a signifié énormément dans ma vie. Son originalité gravite autour du vrai pardon, soit reconnaître en nous et dans les autres que nous sommes tous Fils et Filles de Dieu et que d'aucune façon nos qualités divines n'ont été entachées par des erreurs et par l'ego.

Ce cours a été traduit en plusieurs langues. C'est la fondation pour *A Course in Miracles*, située à Roscoe, dans l'état de New-York aux États-Unis, qui en gère l'organisation. Des ateliers y sont également offerts.

· Affirmations, mantras et leçons ·

Chaque leçon du *Un Cours en Miracles* comporte un thème ainsi qu'un texte d'accompagnement. Généralement, chaque sujet fait l'objet d'une répétition au cours d'une journée. C'est la raison pour laquelle certaines personnes les apparentent à des affirmations ou mantras. Il est donc ici nécessaire d'établir une distinction entre une affirmation et un mantra et, par la suite, de déterminer leur similarité avec les leçons.

Une *affirmation* vise généralement l'atteinte d'un but plus matériel que de celui de parvenir à Dieu. " Je suis en mesure d'assumer mes nouvelles responsabilités " en serait un exemple. En ce sens, l'affirmation est davantage à la solde de l'ego puisqu'elle sert à combler les désirs de ce dernier. L'utilisateur a intérêt à être peu spécifique dans son affirmation, laissant ainsi à l'univers, soit à la vie dans son ensemble, le soin de lui procurer ce qui serait le mieux pour lui. Prenons l'exemple de Paul. Il désire vivre en couple. Alors il est préférable qu'il demande de rencontrer l'âme-soeur plutôt qu'une âme ayant des caractéristiques physiques particulières telles que des cheveux blonds ou bruns.

L'affirmation peut être positive comme ; " Je suis en mesure d'effectuer ce travail administratif ", ou négative telle " L'informatique m'est nécessaire dans mon travail mais je suis incapable d'y comprendre quoi que ce soit ". Dans ce dernier cas, l'affirmation risque davantage de faire expérimenter du stress que de la joie à celui qui l'utilise.

Le *mantra* tire ses origines du bouddhisme et de l'hindouisme. C'est un son qui a pour fonction de calmer et d'élever le mental au niveau spirituel correspondant. À titre d'exemple, le mantra " Om namah shivaya " dans la tradition hindoue qui signifie " Je suis et j'honore le Dieu en moi ", purifie l'ego et permet au chercheur de rejoindre Dieu. Le mantra a un sens commun, c'est-à-dire qu'il est assimilé à une idée que l'on se répète constamment. Il peut être soit positif, soit négatif, comme dans le cas d'une affirmation.

Au sens spirituel, une affirmation, tout comme un mantra, est une pensée qui véhicule des idées particulières et constitue une forme de suggestion. De cette manière, ces termes peuvent être assimilés l'un à l'autre, les deux mettant l'accent sur la nécessité de faire attention à ce que l'on pense puisque les pensées nourrissent les états émotionnels.

Cependant, l'affirmation et le mantra diffèrent sur un point important. L'affirmation relève de l'ego, et amène celui-ci à se convaincre de quelque chose. Ainsi les affirmations " Je peux " et son contraire " Je ne peux pas ", " Je suis beau " et " Je ne suis pas beau " en sont des exemples. Or, Dieu n'a pas à se convaincre qu'il peut ou qu'il est beau. Le mantra, " Om namah shivaya " rend l'ego davantage transparent à la nature divine, c'est-à-dire qu'il élimine graduellement les états émotionnels ainsi que les croyances à leur source propres à l'ego et permet d'expérimenter Dieu.

Les *leçons* de *Un Cours en Miracles* s'apparentent aux mantras spirituels. Appuyées par différents textes, elles visent la purification de l'ego et en dernier ressort son élimination. Cependant, leurs règles d'application diffèrent d'une leçon à l'autre. Pour obtenir un résultat d'une leçon, comme pour le mantra, il n'est pas nécessaire d'y croire ou de la comprendre. Il suffit simplement, d'effectuer chaque leçon. L'apprentissage auquel celles-ci conduisent progresse de façon circulaire, c'est-à-dire que les leçons ainsi que les notions exposées dans le cours sont sans cesse répétées tout en amenant le chercheur à des états de plus en profonds de purification et donc d'expérimentation spirituelle.

Selon *Un Cours en Miracles*, l'être humain préfère avoir raison plutôt que d'être heureux. Dans les faits, il privilégie un monde intellectuel, basé sur l'analyse, au détriment d'un monde réel dont les fondations sont Dieu, c'est-à-dire une énergie d'Amour où tout est possible.

D'autres faits militent en faveur de la mise de côté temporaire des facultés d'analyse. Ainsi, observez-vous lorsque vous prenez un verre d'eau. Entre le moment où votre intention est formulée et celui où vous avalez ce verre d'eau, aucune analyse du processus n'est intervenue. À moins d'incapacité physique, vous avez constaté votre soif, levé votre main, saisi et rempli un verre puis bu. Votre pouvoir d'agir est naturel, vous l'avez fait sans effort et il vous est donc inutile d'analyser comment le résultat a été obtenu.

La spiritualité vous offre la possibilité de retrouver ce pouvoir naturel d'agir pour tout ce que vous réalisez. Certes, dans la vie courante, vous ne pouvez mettre de côté vos fonctions d'analyse sous peine de vous attirer de sérieux ennuis. Cependant, en assurant l'évolution de votre conscience par l'utilisation de différents chemins, vous vous permettez de passer graduellement et sans conséquences fâcheuses du mode de fonctionnement de l'ego à celui de Dieu. Un jour, vous vous apercevrez que vous réalisez plus de choses aisément, rapidement et avec davantage de résultats.

La médiumnité inconsciente

Edgar Cayce ainsi que Jane Roberts, tous deux d'origine américaine, sont deux cas de médiumnité inconsciente ou de transe. À ses débuts, Cayce a été reconnu pour le traitement de maladies jugées difficiles ou sans issue connue. Par la suite, il en est venu à discourir sur la spiritualité. L'état à l'intérieur duquel il discutait de divers sujets a été qualifiée d'auto-hypnose, aucun être immatériel ou incorporel ne réclamant être la source de ses paroles. Son cas diffère de celui de Jane Roberts à travers laquelle l'Entité Seth s'est exprimée, entre autres, sur la nature de la réalité personnelle.

J'ai pu assister à des communications d'êtres immatériels ou incorporels tels les Anges Xedah canalisés par la Québécoise Marie-Lise Labonté. Celle-ci agissait alors à titre de médium, c'est-à-dire qu'elle permettait à ces êtres d'emprunter son corps et de s'exprimer à travers lui. Au cours de ces séances, elle n'avait aucune connaissance de ce qui se passait et était transmis.

Il existe d'autres cas de même type souvent moins connus, leurs enseignements n'étant pas diffusés à un large public. Cependant quelle que soit leur notoriété, leur véracité ne peut être prouvée, scientifiquement parlant, et ce, comme beaucoup d'autres éléments reliés à la spiritualité. Comme je l'ai mentionné précédemment, j'évalue la qualité de ce qui est communiqué, le message reçu étant utilisé comme élément de réflexion et non comme doctrine.

Ces médiums ont laissé plusieurs enseignements dont certains relatifs aux natures respectives de l'ego, de Dieu et de l'être humain. Ce dernier, peu importe son sexe, est porteur des énergies féminine et masculine, soit le Yin et le Yang. L'énergie Yin ayant été malmenée est en train de se guérir. Comme la terre en est dépositaire, il est, semble-t-il, à prévoir que des désastres naturels tels que tremblements de terre, inondations, sécheresses ou éruptions volcaniques, la secoueront, au fur et à mesure que les souffrances reliées à cette énergie émergeront en vue de leur guérison.

Il n'est pas donné à tous de devenir médium sur une base inconsciente. Il faut posséder une structure énergétique apte à être utilisée à de telles fins et qui n'a rien à voir avec le niveau d'évolution. Lorsqu'une personne s'ouvre à la médiumnité inconsciente, il est préférable qu'elle soit accompagnée d'un directeur de transe. Le rôle de ce dernier est d'accueillir les entités et de dialoguer avec elles, mais surtout de protéger le médium contre des entités aux intentions douteuses. Dans cette perspective, certains médiums font également appel à des personnes considérées comme des piliers ou protecteurs, en plus du directeur de transe. Leur rôle est d'installer des rideaux de Lumière, éloignant du même coup les entités immatérielles porteuses d'ombre.

Il faut bien distinguer les cas de médiumnité inconsciente de ceux de possession tels que rapportés dans des écrits religieux. Dans les cas de possession, les entités s'emparent d'un corps, que son propriétaire soit consentant ou non, en vue de s'amuser ou encore d'avoir un contact physique avec notre monde. Un tel phénomène n'a rien à voir avec l'élévation de la conscience. Dialoguer avec l'au-delà immatériel n'est pas un jeu. Votre corps est votre maison. Vous n'inviteriez pas n'importe qui chez vous, il en est de même pour votre corps.

Les Anges Xedah ont été canalisés durant près de 10 ans par Marie-Lise Labonté (Québec) qui a publié des livres à leur propos. Toutes leurs communications ont été conservées pour diffusion. J'ai suivi un des ateliers des Anges Xedah au cours duquel ils ont parlé tant de la condition humaine que divine et de l'incarnation d'un être humain, reprenant ainsi des notions propres à l'ego et à Dieu.

· *Le choix et l'outil ultimes* ·

Ce titre résume le principal message des Anges Xedah. Cette expression, bien qu'elle soit contenue et véhiculée dans d'autres mouvements, s'inspire de leurs enseignements. C'est pourquoi, je leur en attribue le mérite.

Le choix ultime, c'est l'option ou la décision de laisser aller notre condition humaine, soit notre ego, afin que l'Amour inconditionnel et entièrement libre de Dieu s'exprime et coule à travers nous. Aller au-delà de notre condition humaine, signifie accueillir cette dernière avec Amour, malgré la souffrance qui peut l'accompagner. Vu sous cet angle, tout est divin, même nos sentiments, émotions ou pensées les plus sombres.

L'outil ultime, c'est nous, puisque c'est à partir de nous et sur nous que nous devons travailler. Personne ne peut le faire à notre place, sinon nous ne serions pas maître de notre vie. Selon les Anges Xedah, nous sommes en état de sur-vie, surimposant notre condition humaine à notre condition divine, c'est-à-dire préférant une existence faite de croyances, celles de l'ego, à une vie divine pleine d'Amour, celui de Dieu. Au terme croyance, on peut juxtaposer les vocables : dogmes, lignes de conduite et normes. C'est la raison pour laquelle les Anges Xedah mettent en garde tout chercheur contre le fait de rigidifier les enseignements reçus. Une telle attitude conduit malheureusement à répéter le scénario de religions dans lesquelles une forme extérieure de dévotion est devenue plus importante que le message d'Amour véhiculé. Conséquemment, le chercheur en arrive à penser qu'il est le seul à posséder la vérité.

En acceptant de vivre votre condition humaine, vous vous donnez la possibilité d'expérimenter l'Amour de Dieu. Celui-ci est votre nature véritable, entièrement libre et s'exprimant en toute sécurité par rapport à vous-même et aux autres. Vous êtes ainsi invité à vous bâtir une référence d'Amour basée sur l'expérience de votre conscience, de votre coeur et de vos actions. Une telle base de pensée, celle que je me suis personnellement construite à partir de mon expérience personnelle, constitue l'essentiel de la troisième partie de ce livre.

Vous êtes ainsi amené à devenir parfaitement autonome et entièrement libre de toutes croyances mais aussi, indépendant d'éléments extérieurs tels que votre conjoint, l'argent ou n'importe quoi d'autre. À cet effet, les Anges Xedah ont pris pour exemple celui d'une personne désirant suivre une voie autre que celle de son conjoint et qui se questionnait sur l'opinion d'autrui à cet égard. Elle se plaignait aussi que l'argent l'en empêchait. " Pauvre argent !... ", répondirent-ils. Cette personne avait oublié, selon eux, de se consulter alors qu'elle était le seul et vrai maître de sa vie.

Les anges soulignent également que les êtres humains, en s'empêchant de vivre, en empêchent également les autres puisqu'en maintenant une situation qui n'a plus sa raison d'être, ils contribuent à entretenir un niveau d'évolution qui stagne au lieu de s'élever. Par contre, en se respectant et en suivant leur voie tout en exprimant leur potentiel, ils apprennent aussi aux autres à le faire.

En fonction de ces enseignements lors d'un atelier, j'ai retracé les éléments marquants de ma condition humaine. Ainsi, sur le sable de la plage, j'ai dessiné à l'aide d'un bâton, un coeur à l'intérieur duquel j'ai placé feuilles, noix et bâtonnets pour illustrer ma condition humaine. À ma grande surprise, ce coeur m'est apparu brisé dès son arrivée dans cette vie. Je m'étais bien développée sous la gouverne de ma mère mais à la mort de mon père, je m'étais renfermée au point d'être entièrement recroquevillée sur moi-même. Dans tout cela, il y avait quand même l'espoir de m'en sortir.

Par la suite, sans supports matériels autres que papier et crayon, j'ai contemplé mon existence mais dans sa condition divine. J'en ai conclu que je désirais être à la tête de ma propre entreprise, répondant ainsi à un fort besoin d'autonomie et souhaitant vivre à partir de mes propres créations.

Retracer les éléments marquants de ma vie humaine et divine m'a permis de constater ce qui me poussait à agir ainsi que les conséquences qui en résultaient. Dans tout cela j'ai compris que des éléments s'étaient dessinés bien avant que les circonstances qui les ont fait émerger ne se produisent. Ainsi, par exemple, la mort de mon père est uniquement venue réveiller en moi un coeur brisé déjà existant. La vie, ce faisant, m'a montré ce que je devais guérir. J'ai également pu observer dans quelle mesure j'avais, au-delà de la souffrance, maintenu en moi l'amour, la joie, la gratitude. Une telle prise de conscience m'a permis de me prendre en charge afin que j'assume davantage la maîtrise de mon parcours sur terre.

Partie 3

Prises de conscience au quotidien

L'évolution de la conscience
et la guérison vont de pair.

Chapitre 6

Les anciens et les nouveaux dieux

L'évolution de la conscience passe par l'observation d'un ensemble d'éléments tant intérieurs qu'extérieurs à soi, ceux-ci trouvant leur source dans l'ego, d'autres en Dieu. Elle permet également d'établir une distinction entre ce qui est le produit de l'un ou de l'autre.

Dans un premier temps, l'important est de prendre conscience de ce qui se passe autour de vous et en vous, quelle qu'en soit la source, l'ego ou Dieu, ensuite il suffit d'en acquérir l'habitude.

Observer ne signifie pas faire le procès de vos aînés, de vos pairs ou encore de vous-même en vous comparant à vos semblables. Ce serait entrer dans le jeu de l'ego qui aime tant décrire, nommer, spécifier et surtout comparer. Or, comparer pourrait vous amener tout autant à vous valoriser qu'à vous dévaloriser selon que vous découvrez des aspects plus ou moins flatteurs de votre personnalité ou de votre vie. Bien que vous en soyez l'acteur principal, votre valeur n'est liée ni à vos motivations, attitudes ou comportements, ni à vos avoirs, succès ou échecs, pas plus qu'à votre position familiale, sociale ou économique. Elle est liée à votre véritable nature qui est divine.

Dans un second temps, l'observation de votre monde intérieur et extérieur vous permettra de déterminer à quel point vous vous identifiez avec l'ego et ses fruits. Une telle identification se produit lorsque, par exemple, vous ne pouvez être heureux sans un compte en banque bien garni. Dans ce cas, le mot dieu avec un d minuscule prend tout son sens. Lors d'une telle constatation, il vous incombe de reconsidérer ce dieu (ou cette vérité) dans une attitude d'ouverture. De façon concrète, ce dieu cessera d'être votre héros et vous, par contre, le deviendrez davantage en vous réappropriant la maîtrise de votre vie.

Au sein du monde moderne

J'ai vécu ma jeunesse dans les années 60 alors que le Québec, selon certains, sortait d'une époque plutôt moyenâgeuse et voguait vers une ère plus moderne. C'était l'ère qualifiée par les historiens de révolution tranquille. La religion est passée dans la foulée contestataire et les gens ont cessé d'accepter que les prêtres prônent l'adoration à Dieu tout en se préoccupant de la présence des paroissiens à la messe, du port d'un chapeau par les femmes, etc. Il y avait donc le vrai Dieu et..., les dieux à qui le prêtre attachait davantage d'importance qu'à Dieu lui-même.

Au Québec comme ailleurs dans le monde, la façon de voir la vie a changé et le quotidien a basculé. Accompagnés du développement fulgurant de la technologie et des moyens de communication, des gratte-ciel ont été érigés et des entreprises internationales ont été créées. La société s'est dirigée vers l'économie de plus en plus globale que nous connaissons aujourd'hui.

Malgré les nombreuses réalisations de notre société tant matérielles, économiques, artistiques, que scientifiques, n'aurions-nous pas simplement changé de dieu ?

Le curé de mon village accordait plus d'importance à des éléments extérieurs qu'à la qualité de la relation avec Dieu. Nous nous sommes depuis éloignés de ces aspects plus superficiels et rituels, parfois bigots, de la religion, mais ce faisant, nous avons mis Dieu carrément de côté. À quoi accordons-nous aujourd'hui de l'importance ? Trop souvent à d'autres critères matériels tels la réussite professionnelle ou le statut social et économique. Ceux-ci sont symbolisés par une maison, style château, entourée d'une pelouse d'un vert impeccable et d'un parterre de fleurs multicolores joliment agencé. Cela ne constitue-t-il pas les paramètres d'une nouvelle religion ? Et pourtant, en quoi est-ce relié au Dieu qui est en nous ?

Il est étonnant de constater qu'une fois des résultats atteints, tant au niveau professionnel que personnel, ceux-ci sont perçus comme insuffisants. Des objectifs de profits de plus en plus élevés sont alors fixés. La pelouse et le joli parterre ne sont plus à la hauteur et se retrouvent l'objet de nombreuses modifications telles que l'ajout d'une piscine ou d'un second garage. Mon propos n'a pas pour but de rejeter toute forme extérieure de réussite, mais plutôt de vous amener à vous questionner afin de déterminer si vous êtes à votre écoute ou à celle de symboles extérieurs imposés.

Ce monde qui est le nôtre nous demande plus que ce qu'il nous donne en retour et nous promet plus qu'il ne nous livre. En conséquence, nous en venons à ressentir du stress, de la frustration et de l'agressivité. Certains d'entre nous deviendront une sorte de croisement entre le bébé gâté qui fait sa petite crise à la moindre occasion et le hamster de laboratoire qui devient violent parce qu'il ne peut pas courir aussi vite que sa roue l'exige !

Comme s'il n'était pas suffisant de faire une indigestion d'informations (pensez au nombreux bulletins de nouvelles à la télévision et aux courriels sur votre ordinateur), nous manquons constamment de temps. De plus, l'informatique et la technologie nous imposent un changement accéléré et constant que l'on a du mal à suivre. De quoi devenir fou !

À ceci s'ajoute le fait que nous devenons plus exigeants ! C'est d'ailleurs à se demander si à force d'être gâtés, nous ne sommes pas devenus gâteux et possédés par ce que nous appelons nos besoins. Nous n'avons qu'à observer le vent de fureur qui s'est emparé du domaine de l'automobile et de l'équipement informatisé. On exige de plus en plus de la technologie, au point que les équipements passent d'excellents à désuets en un clin d'oeil, en fait avant même qu'on n'ait fini de les payer !...

La liste de nos désirs ne cesse de s'allonger. Nous consommons des services et des biens de plus en plus diversifiés, ce qui entraîne une exploitation intensive des ressources naturelles. Dans les faits, nous épuisons rapidement notre environnement tant au niveau de sa flore, de sa faune que de ses minéraux, sans compter que nous le contaminons avec nos rejets toxiques.

Dans ce bouleversement de dieux, sommes-nous heureux et maîtres de notre destinée ? Devons-nous demeurer assujettis à ces prétendues nécessités, que nous avons transformées en obligations ? Pouvons-nous vivre autrement ? Qu'est-il advenu de notre humanité ? Non pas de l'humanité en général, mais de notre humanité intérieure, soit de notre bonté et de notre compassion ?

Autant de questions que je vous soumets.

Au sein d'un mode de vie

Nous sommes continuellement préoccupés et même pressés d'aller travailler, de faire le ménage, l'épicerie, la cuisine ou l'entretien du parterre. Nous passons le reste de notre temps à visiter des amis, voir le dernier film au grand écran, nous mettre en forme, garder nos connaissances à jour, agrandir la maison, etc. Ouf... quel programme ! Conséquemment, nous nous gardons constamment à l'extérieur de nous-mêmes et négligeons totalement d'aborder tout aspect intérieur de notre vie.

Je vous pose à nouveau ces questions : Devons-nous demeurer assujettis à ces prétendus besoins que nous avons transformés en obligations ? Pouvons-nous vivre autrement ? Et dans tout cela, qu'en est-il de notre humanité ?

Je me demande si l'esclavage relié à des normes que la société a développées et imposées n'est pas la raison pour laquelle tant de gens sont insatisfaits de leur existence. Ils ne prennent plus le temps de vivre et donc n'en ressentent plus d'agrément. Ils se sont coupés d'eux-mêmes en mettant de côté tout ce à quoi ils prenaient plaisir auparavant. Ils courent après quoi au juste et pourquoi ? Ils sont par la suite si fatigués qu'ils s'écrasent devant le téléviseur, se contentant de regarder les autres vivre leur vie au lieu de mener la leur. Faites-vous partie de ce club ?

On pourrait discourir longtemps sur les effets néfastes du petit écran. Certes, celui-ci procure du divertissement mais les messages qu'il véhicule sont hypnotiques, par l'utilisation judicieuse du son, de l'image ainsi que la répétition lors de leur transmission. Entraînés ainsi dans une illusion appelée programmation, terme familier aux réseaux de télévision, nous sommes amenés à vivre une histoire qui n'est pas la nôtre, composée de croyances et d'états émotionnels propres à l'ego. Cette grille horaire nous éloigne par le fait même de notre intérieur, de nous en tant que Rayon de Dieu.

Bien sûr, il ne faut pas bannir tous moyens audio-visuels mais plutôt être conscient de ses dangers. Cette lucidité permet de les utiliser de façon positive et surtout sécuritaire, tout en demeurant maître de notre vie.

Il est nécessaire, je crois, de nous questionner sur la profondeur de notre relation avec notre monde intérieur et sur son interaction avec celui des autres. Consacrons-nous assez de temps à dialoguer véritablement avec nous-mêmes, notre conjoint, nos enfants, nos amis, nos voisins ? Prenons-nous la peine de remercier ceux chez qui nous achetons des biens et services c'est-à-dire l'employé du dépanneur, le chauffeur d'autobus, etc. ? Avons-nous perdu ce contact, ce lien d'empathie avec nos semblables ?

Et nous courons, nous courons... Et nous continuons à être insatisfaits de notre vie.

Reprendre contact avec soi

Mais alors, direz-vous, quel est l'antidote à toute cette folie ? À mon avis, il s'agit de prendre du recul face à ce que vous jugez présentement important et qui occupe votre temps.

Tout d'abord, il importe de dégager du temps dans votre super-horaire afin de vous accorder des périodes de réflexion, en quantité suffisante et riches en qualité. Cette pause santé peut être consacrée par exemple à la lecture d'ouvrages sur la croissance spirituelle ou personnelle ou à la méditation en utilisant diverses techniques. Rien ne vous empêche également d'employer ce temps pour simplement... ne rien faire vous permettant ainsi de mieux vous sentir et prendre plaisir à la vie. Reprendre le contrôle vous permet également d'échanger davantage avec les autres.

Ce processus de reprise de contact avec soi se bâtit avec chaque petite action qui s'additionne aux autres. Chacune d'entre elles, si petite soit-elle, a son importance. Cela se passe à tous les niveaux, intellectuel, émotif et physique, et cela commence peu à peu. La lenteur de cette procédure peut être difficile à accepter, d'autant plus que tout, dans notre société, fonctionne à pleine vitesse. Les films publicitaires ou de divertissement et les jeux vidéo, ne montrent certainement pas l'exemple ! L'extravagance et l'absence de réalisme dont ils font souvent preuve a de quoi laisser songeur... Que penser du héros qui subit tant de sévices qu'il devrait être mort dans les deux premières séquences et qui, quatre-vingt-dix minutes plus tard en sort vainqueur et resplendissant de santé ?

Ne vous attendez pas à avoir repris entièrement contact avec vous-même après quelque temps de réflexion. C'est un mécanisme graduel qui peut prendre des heures, des semaines, des mois et même des années à se réaliser. Mais ce qui est vraiment intéressant dans cette démarche, c'est qu'en elle-même, elle vous apporte de la satisfaction et en plus un résultat.

Dans ce domaine, je peux me donner de nouveau en exemple. J'ai toujours eu envie d'écrire mais, sans grande motivation. Je me suis plutôt dirigée vers d'autres avenues, financièrement plus rentables à court terme, sans toutefois en retirer de satisfaction réelle. Ne sachant où m'orienter, j'ai entrepris une démarche de réflexion qui s'est étalée sur plusieurs années. Durant cette période, j'ai accepté de ne pas savoir où me diriger et de vivre dans l'ambiguïté, l'impuissance face à l'incertitude, ainsi qu'avec l'insatisfaction que je ressentais au travail. À son terme, j'ai compris qu'il me fallait laisser libre cours à ma créativité et à mon besoin de communiquer et ce livre en est le résultat. Je suis également convaincue que les démarches de développement personnel, poursuivies en parallèle, ont soutenu et même accéléré ma réorientation.

Et vous, qu'aimeriez-vous changer dans votre vie ou dans votre environnement pour le rendre plus sensé ? Pour établir un parallèle avec la politique, souvenez-vous que chaque vote compte, que ce soit au niveau électoral, personnel ou social.

Prenons la protection de l'environnement, un sujet qui est devenu une préoccupation de société. Elle se joue sur deux tableaux : les actions globales, gouvernementales ou privées et, les actions individuelles. Nous nous sentons parfois démunis quant à notre contribution personnelle mais il ne faut pas oublier que l'opinion publique a un poids politique très important. Songez à la mise en marché des savons et détergents biodégradables, plus respectueux de l'environnement. Au début de leur diffusion, ils n'étaient disponibles que dans certains magasins de produits naturels, ce qui obligeait le consommateur à faire des détours pour se les procurer. Pourtant, de plus en plus d'utilisateurs, soucieux de leur qualité de vie, en ont accepté les inconvénients et ont adopté ces produits

La force de leur opinion a fait en sorte que de nombreux manufacturiers se sont adaptés à ces nouvelles exigences et qu'on les retrouve maintenant dans les magasins à grande surface. Cette illustration très concrète démontre bien l'impact que chacun d'entre nous peut avoir sur la société en décidant de ne plus acheter un bien, un service ou même un mode de vie.

Avant de terminer mes réflexions sur le contact intérieur, j'aimerais partager avec vous les paroles bouleversantes d'un participant à une session que j'animais sur la recherche d'emploi : " Je n'ai cessé de ma vie d'être occupé et de travailler et pourtant..., je n'ai rien fait de ma vie ". Il s'était laissé porter par la vie, répondant certes à des nécessités fort louables mais le constat qu'il en faisait était à certains égards plutôt négatif.

Prenez le temps de vous arrêter et de reprendre contact avec vous-même, pour vous et pour les autres.

Par la suite, observer sa vie

Selon la spiritualité, il est préférable d'observer plutôt que d'analyser. La raison en est simple : analyser implique un système de croyances, de valeurs ou de pensées rigoureux et repose par le fait même sur des perceptions. Or, rien ne garantit l'intégrité du procédé que vous choisissez comme base d'analyse. C'est pourquoi analyser est une activité mentale qui peut vous éloigner de la vérité en érigeant un voile par rapport à celle-ci. Cependant si vous éprouvez des difficultés à observer votre vie, donc à ne pas l'analyser, acceptez qu'il en soit ainsi tout comme vous supportez des sentiments ou des émotions que vous jugez inacceptables ou encore des situations insatisfaisantes. S'opposer à ce qui est, ne contribue qu'à le renforcer.

Ne vous culpabilisez pas si, momentanément, vous n'arrivez pas à être témoin de votre vie. Faites plutôt appel à Dieu, peu importe le nom que vous lui donnez, pour vous aider à adopter une attitude efficace. Vous estimer coupable serait entrer dans le jeu de l'ego qui compare, dévalue, diminue ou dénigre. Dieu, à l'opposé de l'ego, ne vous juge pas. Alors pourquoi le faire à votre égard ?

Ayant pris du recul face au quotidien, vous pouvez observer votre vie extérieure et intérieure. Votre ego rechignera sans doute et il trouvera toutes sortes de bonnes raisons pour vous arrêter dans cette démarche. Il invoquera le manque de temps, son caractère inutile puisqu'il dit tout savoir et donc avoir réponse à tout. Pour contrecarrer ce récalcitrant, rappelez-vous qu'il n'existe pas de vérité absolue et demeurez ouvert à ce qui pourrait alors se présenter.

Le recul n'a pas besoin d'être parfait pour vous procurer des résultats. Dans tous les cas, il vous donnera une vision plus profonde de votre vie, particulièrement de vos orientations et motivations véritables.

Pour le faciliter, je vous suggère, comme guide d'observation, les enseignements relatifs à l'ego. Je vous invite donc à relire la section *L'ego dans tout cela ?*, à la page 60 de ce livre. En voici toutefois un rapide rappel :

- *L'ego est sans substance car il n'est qu'une construction mentale basée sur l'idée maîtresse : " Je suis séparé de Dieu. "*

- *L'ego est vide, a peur et souffre.*

- *L'ego recouvre d'un voile votre nature divine par l'ensemble de ses croyances et de ses charges émotives négatives. Il ne faut pas oublier qu'il se cache souvent derrière ce qui est perçu comme une vertu. Les apparences sont donc parfois trompeuses.*

- *La véritable connaissance de soi n'est pas intellectuelle, mais découle de l'expérience d'une transformation personnelle soit de l'éradication de croyances ainsi que de leurs charges énergétiques négatives. C'est le concept du lâcher prise.*

- *L'ego ne peut en aucun temps affecter votre nature divine. Toute culpabilité de votre part est inutile.*

- *L'ego étant sans substance est à l'opposé de Dieu* qui lui, est une énergie d'Amour.

Au début de votre observation, contentez-vous de contempler ce qu'il y a à l'intérieur et à l'extérieur de vous, sans tirer sciemment de conclusion, sous peine de faire intervenir l'ego.

Dans un second temps, interrogez-vous sur vos croyances, les sentiments et émotions qui y sont associés, sur vos attitudes et vos comportements. Laissez toute logique de côté et ressentez. Écoutez les questions et les réponses qui vous viennent spontanément à l'esprit. Si aucune ne se pointe, voici quelques suggestions :

- *Qu'est-ce que je ressens en moi ?*

- *Ai-je peur ? Si oui, de quoi ?*

- *Est-ce que je me sens aimé et soutenu ?*

La spiritualité vise à briser la dépendance d'un individu vis-à-vis des éléments étrangers à sa nature divine afin qu'il retrouve l'abondance, la liberté et la légèreté de son être. Ces facteurs perturbateurs relèvent de l'ego.

L'ego cherche l'amour tant convoité et conséquemment la sécurité à l'extérieur, sans pour autant combler son vide intérieur. Ainsi sous son égide, un individu peut ne pas se sentir aimé et ainsi ressentir un vide, malgré tout ce qu'il possède ou tout ce dont il jouit. Est-ce votre cas ?

Dans sa recherche d'amour, il adopte des attitudes et des comportements de défense et d'attaque. Puisque dans notre société l'agressivité physique est réprimée, ceux-ci prennent davantage une forme argumentative de justification (défense) ou d'accusation (attaque). Sous sa tutelle, un individu étudie constamment sa conduite, que ce soit en analysant, comparant, critiquant, évaluant ou encore interprétant. En contrepartie, il se défend ou attaque en contre-analysant dans le but de trouver et de conserver sa place en matière d'amour, sous le couvert de la reconnaissance ou du prestige. Pour ce faire, il s'élève ou se rabaisse ou bien il élève ou rabaisse des facteurs de son environnement. Est-ce votre cas ?

L'ego perçoit à l'extérieur la source de son bonheur ou de son malheur, ce qui le déresponsabilise. De tels agissements peuvent revêtir trois formes, c'est-à-dire celles de la victime, du juge ou du sauveur. La victime rejette la faute de ses malheurs sur autrui. Le juge croit devoir protéger la victime de son agresseur et punir ce dernier. Le sauveur voit en la victime une personne ayant besoin d'aide mais également souhaitant que l'on agisse à sa place. La croyance à la source des trois formes est la même, soit que chaque individu n'est pas le maître de sa vie. Est-ce votre cas ?

La spiritualité ne rejette pas le recours à une aide extérieure ou l'application d'une justice. Ces processus sont non seulement valables et nécessaires, mais constituent même des éléments importants en vue de favoriser le développement du potentiel divin. Il revient toutefois à chaque individu d'entreprendre sa propre transformation car personne ne peut le faire à sa place.

Plusieurs courants de pensée croient que seuls deux sentiments animent l'être humain : l'amour et la peur. Selon les enseignements, le meilleur antidote à la peur est l'amour, défini en terme de capacité à accueillir les situations et sentiments sans jugement jusqu'à ce que la crainte s'évanouisse et meure d'elle-même.

Il y a les *peurs reliées à l'action* : telle la peur de se laisser aller, d'être violent, de se tromper, de réussir, de danser, de nager. Lorsqu'une telle peur surgit, il est suggéré de passer à l'action, ce qui a pour conséquence d'en faire émerger la source. Ainsi, Marc et Annie hésitent à vivre une nouvelle expérience commerciale. Ils peuvent alors décider de l'expérimenter afin de mieux confronter leur peur et surtout sa source. Mais attention, usez de discernement dans l'application d'une telle solution ! Si passer à l'action peut générer des conséquences trop fâcheuses, il est possible grâce à des chemins ou moyens choisis d'arriver au même résultat.

Il y a les *peurs reliées à une action physique sur soi* et provenant d'un élément extérieur telle la crainte d'être attaqué, d'avoir un accident, d'être contrôlé par des forces policières. Celles-ci correspondent à des mouvements intérieurs de destruction envers soi-même. Ainsi, nous serions celui qui nous attaque, qui souhaite avoir un accident ou qui agit comme police à notre égard.

Il y a les *peurs reliées à une situation de nature psychologique*, sans incidence physique sur soi telle la crainte de perdre l'amour des autres, de déplaire, d'être jugé ou d'être abandonné. Elles sont, en réalité, l'expression d'une partie de nous qui ne nous aime pas, nous déplait, nous juge ou nous abandonne.

Quoi que vous observiez, évitez de vous culpabiliser, sous peine de jouer le jeu de l'ego. La culpabilité sert l'intérêt de l'ego, puisqu'elle a le potentiel de vous éloigner de vous-même par peur de vous rencontrer. Lorsque vous serez tenté de vous sentir coupable, rappelez-vous qu'il n'y a aucune faute aux yeux de Dieu, c'est là, la vraie signification du pardon. Votre ego est prêt à tout exagérer et dramatiser ? Prenez-le alors avec un grain de sel !

Lorsque l'ego n'obtient pas l'amour sous la forme désirée, il souffre. Il en est de même pour tout individu sous son égide. Cette souffrance peut prendre divers noms tels que agitation, colère, dépression, etc.

Sous l'impact de cette souffrance, l'individu devient tourmenté, monologuant avec lui-même de façon incessante. Est-ce votre cas ? Ne supportant plus cette douleur morale, il cherche alors à la fuir pour ne plus la ressentir, par exemple en s'occupant à outrance. Est-ce votre cas ? Il utilisera peut-être d'autres portes de sortie davantage destructrices comme l'alcool, la drogue, la nourriture, le tabac, ou encore abusera-t-il sexuellement de son corps portant ainsi atteinte à son bien-être psychologique et physique et parfois aussi à celui d'autres personnes. Est-ce votre cas ?

À nouveau, je vous dis " Ne vous culpabilisez pas ! " . Il n'est ni mal ni bien de ressentir les affres de l'ego et d'y réagir. Votre qualité en tant que Rayon de Dieu n'a été et ne sera jamais entachée par quoi que ce soit.

Se détacher sans renoncer

La lecture des chapitres précédents vous a peut-être laissé croire que vous deviez devenir moine ou moniale afin d'éviter les pièges de l'ego et retrouver Dieu ou l'Amour ? Il n'en n'est rien ! L'habit ne fait pas le moine !

L'observation spirituelle du quotidien, suggérée dans la section précédente, a pour but ultime de vous aider à vous détacher de ce que vous vivez. Cependant n'oubliez pas que détachement n'est pas synonyme de renoncement. Si je reviens sur un exemple précédent, la spiritualité ne vous enjoint pas de renoncer à un compte en banque bien garni mais plutôt de vous en détacher et de cultiver votre capacité à vous en passer tout en demeurant heureux. Donc, il vous est possible de le garder.

En réalité, la spiritualité n'est aucunement affectée par la forme, elle ne la recherche ni ne la rejette. Elle a simplement à coeur que vous soyez bien dans votre peau. Pour ce faire, elle vous enjoint de vous interroger sur vos motivations profondes et vos orientations de vie. Une telle remise en question de votre vécu vous permettra de mieux diriger votre vie, même dans des détails quotidiens.

Vous observerez également un accroissement de votre créativité tant en quantité qu'en qualité. Ainsi au lieu d'être un technicien, vous serez davantage un artiste dans tous les domaines.

Un technicien applique des recettes et donc fabrique à partir d'éléments existants. Un artiste va au-delà, perçoit sur un autre plan et amène un plus qui fait qu'une oeuvre devient exceptionnelle. Au niveau artistique, on parlerait de feu sacré. Bien qu'on pense à l'homme de l'art principalement dans ce domaine, selon cette nouvelle définition cet esprit peut exister aussi bien en finance, en gestion, en horticulture, en ingénierie, en pédagogie, qu'en mécanique. Le corollaire en est qu'il y a des personnes oeuvrant dans ce domaine et qui ne répondent pas à cette définition du terme.

En conclusion, être un artiste n'a rien à voir avec le milieu de travail, mais plutôt avec la façon dont on aborde l'oeuvre à réaliser.

Plusieurs personnes ont l'impression que Dieu n'existe que pour les saints puisqu'ils sont en contact avec Dieu. Je n'adhère pas à cette école de pensée. C'est l'ego qui a construit un dieu à sa propre image et selon les sociétés, ce dernier est masculin ou féminin, colérique, jugeant, punissant ou encore utilisant le tonnerre pour se faire entendre. C'est l'ego qui vous conditionne à attendre que Dieu vous parle comme certains curés d'autrefois ou certains animateurs de télévision, dispensant jugements, opinions et recommandations. Pourtant Dieu est à l'opposé de l'ego ! Il nous accueille tous, sans jugement. Il n'a rien à prouver, ni à imposer. Il EST. Ses messages passent donc par une impression subtile qui ne vous quitte pas, un mouvement du coeur, une petite voix, une intuition et tout ceci, sans tapage.

Dieu ne juge pas vos choix même lorsque vous décidez de ne pas agir. Il ne fait aucune différence de statut social, que vous soyez président d'entreprise, éboueur, politicien, itinérant, saint ou meurtrier. Nous sommes tous égaux devant lui, tous porteurs de la même Lumière.

Le grand drame de l'être humain, c'est de se sentir vide car il porte son attention sur l'ego, sans substance. De là, l'émergence de la peur à l'intérieur de ses entrailles, cause d'attitudes et de comportements de défense, d'attaque et de compétition. Alors qu'en réalité, c'est qu'il ne se sent pas aimé, ne ressentant plus Dieu... cette énergie d'Amour en lui.

La spiritualité vise à vous aider à améliorer votre bien-être afin de retrouver votre véritable nature en tant que Rayon de Dieu. Ceci vous permet de devenir le créateur de votre vie et vous évite d'y renoncer.

Tout au long de ce processus, vous acquérrez la Maîtrise de votre Conscience, de votre Coeur et de votre Action. Cette maîtrise vous permettra de redevenir le maître de votre histoire personnelle. Elle s'actualise graduellement au cours de votre évolution spirituelle et les résultats constituent une référence quant à la manière de penser, d'aimer et d'agir. Référence qui découle de l'expérience acquise suite à l'application, dans le quotidien, d'enseignements choisis.

Chapitre 7

Ce quotidien qui fait pâle figure

Comme il paraît ordinaire, ce quotidien, par rapport aux actions d'éclat que nous valorisons et qui retiennent notre attention ! Nous n'avons qu'à observer ce qui est rapporté dans les médias : services et biens de luxe, découvertes, performances tant artistiques et économiques que scientifiques, sans compter les catastrophes en tout genre. On n'y parle pas du train-train journalier, du métro-boulot-dodo, à moins qu'il n'y ait une grève dans les services publics qui empêche ledit métro de rouler, bien sûr !

Alors, nous regardons notre vie de tous les jours avec son lot de petits événements et nous nous sentons bien petits. Que nous arrive-t-il d'extraordinaire, c'est-à-dire d'extra par rapport à l'ordinaire ? Rien ou presque rien, en comparaison avec ce qui se passe ailleurs ! Bien sûr, j'exagère un peu, mais je ne crois pas être loin de la vérité.

C'est ainsi que nous en arrivons à penser que notre vie serait meilleure si nous avions ce talent particulier, cette aptitude qui nous manque, cette chance qui ne s'est pas présentée. En fait, nous vivons notre existence en rêvant à une autre.

Le début d'une véritable aventure

Si j'aborde ce quotidien, c'est dans le but de le revaloriser car c'est à travers lui que s'effectue l'évolution de la conscience. Il en constitue le tremplin et la base.

Cependant, pour bénéficier pleinement de ce vécu, il est nécessaire d'adopter une attitude de chercheur. Celui-ci ne sait pas nécessairement comment chercher mais, il trouve des façons de le faire, effectuant ainsi des découvertes qui améliorent sa vie et celle des autres. Sa quête s'effectue malgré les difficultés, les détours et les erreurs et apporte sa part de joies, petites, moyennes ou grandes.

Ainsi dans la recherche qui est la nôtre, il faut s'attendre à vivre toutes sortes d'émotions : certaines agréables à la vue d'une éclaircie qui se pointe à l'horizon, et d'autres intenses à l'image d'une réussite inattendue. Parfois aussi, il ne se passera rien dans le visible, l'inconscient prenant son temps pour décider de quels ingrédients sa recette sera composée. Et puis un jour, il vous livrera ce qui est à son menu.

Certes, il serait agréable qu'une pilule miracle nous délivre de tous nos maux. En fait, c'est le complexe de Cendrillon. J'en souffre également ! Il me serait agréable de trouver une solution qui me garantirait une mise en forme physique instantanée et surtout sans efforts ! Un tel médicament n'existe pas, ni pour la forme physique, ni pour tout autre problème. Heureusement car ainsi, la vie et le quotidien nous forcent à évoluer. J'en suis un bon modèle. Jeune, j'étais une personne timide et manquant de confiance en elle-même. Ce peu d'assurance était tellement grand que j'éprouvais même de la difficulté à remercier de leur aide les personnes de mon entourage, parce que remercier, dans ma perception, aurait signifié que je valais peu et elles beaucoup. Or, les événements de la vie m'ont obligée à faire face à ce peu d'estime de moi et conséquemment à m'affirmer.

Si vous observez votre quotidien, vous découvrirez qu'il a un sens. Il est là pour vous apprendre quelque chose. Il vous met régulièrement et au besoin de façon répétitive, face à des situations difficiles, jusqu'au jour où vous comprenez ce que vous deviez saisir de celles-ci.

L'ego, vous l'avez compris, existe dans tous les domaines de la vie quotidienne, incluant la spiritualité. Dans votre quête de compréhension, méfiez-vous de lui car il a tendance à appliquer de façon mécanique les conseils ou les enseignements, avec pour conséquence de minimiser les efforts à mettre dans un changement intérieur et véritable de votre personne. Ainsi, si un individu bien intentionné vous fait part de sa perception concernant une situation que vous vivez, écoutez, car de tels échanges peuvent vous faire progresser. Mais demandez-vous si la suggestion proposée s'applique réellement à vous, en partie ou en totalité.

Lorsqu'une situation sera dénouée, le quotidien vous en présentera une autre, toujours dans le but de vous faire évoluer. Si vous vous y arrêtez, peut-être conclurez-vous que votre vie est un roman aussi plein de rebondissements que ceux présentés dans les séries télévisées et même parfois un roman-savon des plus juteux ! Alors, n'hésitez pas à en rire, c'est bon pour la santé ! Mais n'oubliez jamais que ce qui est important, ce n'est pas ce que vous vivez mais ce que vous construisez à partir de votre vécu.

Au fur et à mesure de votre évolution, vous cesserez de croire que seul existe ce que vous percevez dans l'immédiat. Vous découvrirez d'autres façons de voir, d'entendre, de sentir, de goûter et de toucher. Vous trouverez également d'autres manières de faire les choses, de les expérimenter et, pourquoi pas... d'aimer.

À l'image de l'ascension d'une montagne

En revoyant mentalement votre parcours de vie, vous arriverez peut-être à la conclusion que votre évolution personnelle ressemble à l'ascension d'une montagne avec des versants plus ou moins escarpés, des plateaux, des sentiers en pente douce et d'autres plus à pic. Dès qu'une première partie est escaladée, une seconde, plus ou moins haute, vous attend. Divers points d'arrêt vous donneront l'occasion de jouir d'une vue parfois exceptionnelle, de prendre le temps de vous relever, de vous reposer et surtout de contempler avec satisfaction le travail accompli.

Vous vivrez des joies intenses et également des périodes où vous vous ramasserez à la petite cuillère. Il y aura des moments où tout fonctionnera à merveille et d'autres où rien n'ira plus. Certaines situations se dénoueront d'elles-mêmes, d'autres demanderont beaucoup d'efforts. Des problèmes seront résolus en un bref instant et pour d'autres vous mettrez plus de temps, parfois même, l'espace d'une vie...

En bref, l'évolution de la conscience ne se fait pas selon une belle ligne droite ascendante. Comme pour l'ascension d'une montagne, il faut accepter que ça prenne du temps comme pour toute chose dans la vie ordinaire.

Dans la vie ordinaire ? Alors à quoi sert de se préoccuper de spiritualité si cela n'aboutit qu'à vivre une vie ordinaire, diront quelques-uns ? Pour bénéficier des bienfaits suivants :

1. Le dénouement de situations

Vous n'avez pas à chercher les aspects de votre vie que vous devez travailler ; ils sont là, sous votre nez et non dans vos existences antérieures ou futures, magnifiques ou douteuses, car elles n'existent plus ou pas encore. Observez celle qui est présente et apportez-y un brin de légèreté et de fraîcheur en dénouant ce qui s'y présente. Peut-être comprendrez-vous mieux la relation avec vos parents, réorienterez-vous votre vie professionnelle, ou saisirez-vous la raison de votre réticence à vous engager dans une vie de couple ou encore résoudrez-vous tout autre dilemme personnel. Dans tout cela nécessairement, il vous faudra décortiquer les sentiments et émotions qui vous habitent. Il est également possible que vous vous donniez comme tâche de ne résoudre qu'une seule situation mais sous diverses facettes.

Il n'y a pas de petits ou de grands accomplissements. Les différents aspects de la vie s'entre-mêlent et l'apprentissage qui résulte de la résolution d'une situation peut servir pour une autre. À titre d'exemple, le fait, dernièrement, d'avoir perdu un bout de papier sur lequel j'avais noté des informations m'a mise en colère. Après l'avoir retrouvé et une fois calmée, je me suis rendu compte que mon courroux n'était aucunement relié à la perte de ce papier, mais plutôt à une insatisfaction inavouée relative à mon travail. J'éprouvais de nombreuses difficultés à m'y consacrer car il ne me plaisait pas, alors que j'avais besoin de l'argent qu'il me procurait... bien sûr pour mettre un peu de beurre sur mon pain mais également de la garniture pour l'agrémenter ! Ma fureur avait donc profité d'un élément étranger pour s'exprimer, ce qui a été une bonne chose puisque j'ai pu en profiter pour identifier sa cause et y faire face.

2. Des apprentissages de sources inattendues

Vous pouvez aussi bien apprendre du chant d'un oiseau, du passage d'un film, que de la réaction d'un animal. Les apprentissages ne trouvent pas tous leur source dans des enseignements et leurs voies de diffusion classiques, mais également dans tout ce qui constitue la vie.

Ce n'est pas le fruit du hasard qu'un être ou un objet vous attire ou vous répugne. En en cherchant les raisons, vous apprendrez à mieux vous connaître. Ainsi, disons que vous adorez votre nez qui est, selon votre perception, ravissant. Vous est-il possible d'envisager de vivre sans lui ? Supposons maintenant que vous le détestiez. Est-ce vraiment votre nez que vous n'aimez pas ? Avez-vous plutôt choisi de haïr un élément de votre physionomie afin d'éviter de vous rendre compte que vous ne vous aimez pas comme personne ?

En observant une situation et votre réaction à son propos, souvenez-vous que :

- *Si une situation déplaisante refait surface, c'est qu'un apprentissage n'a été complété que partiellement. Il faut alors poursuivre la démarche d'exploration de soi.*

- *Les principes menant à l'évolution de la conscience vous aideront au-delà de ce que vous percevez dans l'immédiat, peu importe le chemin emprunté pour y parvenir.*

Je dois vous dire cependant, qu'un jour, vous en aurez ras-le-bol d'apprendre. Qui ne serait pas exaspéré à la longue ? Une situation n'est pas sitôt dénouée qu'une autre se présente ! Pas de répit en perspective ! C'est à croire qu'elles font la file, un numéro à la main, en attendant un traitement comme dans une clinique médicale ! Que cela ne vous effraie point, vous pouvez prendre des vacances aussi longtemps que bon vous semble. Elles seront toujours là à votre retour !

Je peux vous dire que Dieu, ses représentants et mes guides en ont entendu des vertes et des pas mûres de ma part à propos de ces fameux apprentissages ! Je les ai même tenus responsables de ma vie, ce qui n'est bien sûr pas le cas ! J'aurais pu ressentir de la honte d'avoir agi de la sorte, mais je me suis plutôt dit que, de par leur nature, ils ne pouvaient que comprendre mon désarroi à cet égard.

3. Une meilleure autonomie par rapport à la vie

Dieu dans son grand Amour a créé l'être humain libre. S'il désire se fermer à Dieu, celui-ci ne l'en empêchera nullement. Dans le cas contraire, il viendra le soutenir dans sa démarche.

Selon la spiritualité, chaque individu est responsable de nettoyer son intérieur, en s'inspirant d'enseignements et en utilisant divers voies et moyens. S'il le veut, il se fera aider dans cette tâche par Dieu, peu importe le nom qu'il lui attribue.

Longtemps, j'ai pleuré sur mon sort en me disant que personne ne m'aimait. Avec une telle pensée, j'avais le moral plutôt bas, à plat et à l'image des fronts d'air de la météo ou de l'économie. Finalement un jour, j'ai arrêté, selon les termes de la spiritualité, de la nourrir, c'est-à-dire d'y croire. Mon moral a alors remonté d'un seul coup. À l'occasion encore, elle me hante bien mais maintenant, je m'en dégage plus rapidement. Ainsi que cela soit au niveau d'un changement de pensée, d'attitude ou de comportement, il nous revient d'agir. Il en est de même par rapport à des relations insatisfaisantes, un emploi qui nous ennuie et ainsi de suite. Par contre dans l'exercice de cette responsabilisation, nous pouvons toujours faire appel à une aide de notre choix.

Cette prise en charge de soi est certes une forme de travail. Or, qui dit travail, dit aussi temps et mon propos a la prétention de faire contrepoids à un phénomène de société qui met à l'honneur le fast food en tout genre. Quelle que soit la satisfaction ou la performance recherchée, notre société de facilité suggère que tout peut être obtenu sans effort, de façon instantanée et surtout que tout est achetable.

Aussi surprenant que cela puisse paraître, ce fast food existe également en spiritualité. Que de livres décrivent les beautés d'une vie spirituelle ! Agrémentés de fleurs, papillons, lutins, anges ou autres images idylliques rappelant le contact avec la nature, ils inspirent à vivre une autre vie. Rien de mal en soi puisqu'ils constituent d'excellents instigateurs à une meilleure existence, mais ils ont parfois le désavantage de ne présenter qu'un état et non le chemin qu'il faut parcourir pour y arriver. Celui-ci peut à l'occasion être long et rocailleux mais il apporte, selon mon expérience personnelle, maintes satisfactions dont celle du travail accompli.

4. Des expériences et des résultats imprévus, à des moments imprévus

Au cours de votre apprentissage, vous vivrez des expériences inattendues dont les résultats ne seront pas ceux que vous aviez imaginés, et ils ne se produiront pas non plus au moment voulu. Ce sont des aspects de l'apprentissage auxquels il faut s'attendre et qu'il est nécessaire d'accepter.

Quant à votre ego, il aura de la difficulté à supporter cet écolage car il veut tout contrôler et justement, ceci lui échappe. Ne lui accordez pas trop d'importance lorsqu'il se manifestera et évitez de tomber dans le piège de la dévalorisation ou encore de la valorisation qu'il vous tendra. L'une et l'autre supposent un jugement puis une comparaison entre le bien et le mal, valeurs propres à l'ego.

Par opposition, votre véritable valeur ne dépend de rien : divine dans son essence, elle est tout simplement. Elle ne fluctue certainement pas comme les valeurs à la Bourse !

Il ne s'agit pas pour autant de bannir de votre esprit tout jugement et toute comparaison. Cela dépend du type de rapprochement et du degré de subjectivité appliqués. La comparaison valorisante / dévalorisante suppose qu'un objet, une action, un sentiment, une personne ou autre possède une valeur propre que l'on juge supérieure ou inférieure. C'est le fameux jugement auquel font référence de nombreux ouvrages de spiritualité. L'ego s'en nourrit, ce qui fait de lui le grand maître des psychodrames. La comparaison technique, quant à elle, est d'une grande utilité dans la gestion du quotidien. Elle s'exprime en termes de mesure ou de forme : cette règle est de deux cm plus courte que cette autre, cette machine produira davantage si elle est alimentée différemment, etc. Il n'y a ni dévalorisation ni valorisation puisque aucun jugement de valeur n'est appliqué.

Ne cessez pas pour autant d'exercer un discernement critique tout en continuant d'apprécier votre entourage. Et si vos succès et vos échecs vous font passer de l'euphorie à la dépression, il est peut-être préférable alors de viser la véritable paix de l'esprit en tant que base d'un bonheur durable. C'est en reprenant contact avec votre véritable nature divine que vous l'atteindrez.

Parvenir à un bonheur durable par la paix de l'esprit sera une opération parsemée de réalisations imprévues : vos plus grandes expériences spirituelles peuvent se produire tout autant en épluchant des carottes qu'en méditant. Des réponses à vos questions peuvent surgir aussi bien durant la sieste que lorsque vous regardez la télévision. D'ailleurs, songez au nombre de fois où à court d'idées, vous vous êtes attelé à une autre tâche et soudain, pouf ! celles-ci surgissaient comme du pop-corn qui éclate !

Une dernière note mais non la moindre : ne faites pas de l'apprentissage un objet de performance car vous risquez d'y mettre un frein tant au niveau du nombre de vos prises de conscience que de leur spontanéité et leur diversité.

La nécessité de prendre soin de soi

Au début de ma quête, j'étais du genre à y aller à fond de train. Aujourd'hui, je suis moins fougueuse et j'ai le goût de vivre plus calmement et de prendre soin de moi. C'est peut-être l'âge, la sagesse aidant. Il faut dire aussi qu'au tout début de cette aventure, je sentais l'urgence de changer ma vie et mon seul choix était d'agir en ce sens. Le rythme de croisière d'un développement personnel est propre à chaque individu. Il doit être respecté au même titre qu'une fleur ne peut être forcée à pousser.

N'hésitez pas à vous gâter ! Le plaisir et l'amusement font partie de la vie et favorisent le ressourcement. J'ai mis beaucoup de temps à comprendre cet aspect du développement. Peut-être à cause de ma nature stoïque ou de ma capacité à reporter le plaisir ou encore de mon interprétation de certains principes spirituels mais, peu importe... C'est avec le temps que j'ai appris qu'il fallait s'amuser. C'est un droit et même un acte de bonté envers soi-même. Ne croyez pas comme je l'ai longtemps pensé, qu'il faut accumuler les misères pour gagner ces indulgences qu'on garde précieusement sans les dépenser. J'ai découvert qu'être une victime ne sert aucunement à acquérir des bienfaits ; il ne s'agit que d'une croyance de plus à éliminer.

Peu importe la façon dont vous prenez soin de vous, l'essentiel, c'est de décrocher. Une des façons de le faire, c'est de ne pas vous prendre au sérieux et ainsi de dédramatiser ce que vous vivez. Votre bien-être s'en trouvera accru car il y aura une distance saine entre vous et vos problèmes. En vous choyant, vous récolterez des bénéfices doubles, non seulement celui d'assurer votre propre évolution mais aussi celui de découvrir votre vrai plaisir, car il y a une joie à le faire, sans aucun but particulier. C'est une expérience à vivre et à revivre.

Dans cette perspective, je vous suggère également de revenir à des bonheurs simples tels que pique-niquer, glisser dans une chute d'eau, construire un bonhomme de neige, peindre, jardiner ou apprendre le piano... N'hésitez pas à vous adonner à des activités que je qualifie de " désintellectualisantes " et que bien sûr, vous aimez. Tenez ! Jouez au Monopoly, d'autant plus qu'il ne vous en coûtera que l'argent propre à ce jeu !

S'octroyer le droit de s'amuser demande parfois de la discipline. Il semble que lorsque la fatigue envahit un être humain, il colle à son fauteuil préféré ! Il est certes plus facile de ne rien faire, même si une telle passivité s'accompagne parfois d'idées noires. C'est le premier pas qui est souvent le plus difficile, alors sortez et amusez-vous !

Chapitre 8

Ces sentiments qui nous animent

Ce sont les sentiments qui nous habitent, ceux que dans le passé je n'ai pas sondés puisque d'une manière tout à fait humaine, je trouvais normal qu'ils aient de l'ascendant sur moi. Aujourd'hui, ma vision est tout autre.

Ils sont à la source des plus grandes comme des pires réalisations humaines, malheureusement. Nous n'avons pu extirper de nos coeurs ceux qualifiés de négatifs malgré le contrôle que l'on tente d'exercer sur ces derniers. Force est de constater qu'à certains égards, nous avons très peu ou pas du tout changé au cours du temps. Certes, nous nous sommes civilisés, nous avons fait des progrès concernant l'égalité et tenté une meilleure répartition de la richesse par la promulgation de lois et par l'aide aux plus démunis. N'empêche que nous retrouvons invariablement en nous les mêmes états d'âme qui sont à la source des mêmes problèmes.

Dans de telles conditions et afin de bâtir une meilleure société, il est nécessaire de penser autrement, soit de favoriser la transformation intérieure des individus qui la composent. Il ne s'agit pas de renier le passé car de grandes choses y ont été réalisées, mais plutôt d'apprendre de celui-ci pour améliorer notre présent et notre avenir.

La spiritualité peut aider à atteindre ce but en jetant une lumière nouvelle sur les sentiments qui nous animent, leur interdépendance ainsi que leur rôle dans notre relation avec nous-même et avec les autres. De là, il appartiendra à chacun de se changer intérieurement dans les aspects qu'il jugera nécessaires.

La souffrance de l'ego

Selon la spiritualité, l'être humain souffre car il se croit séparé de Dieu, donc de l'Amour. En réalité, il a cessé de le ressentir et considère conséquemment la souffrance comme étant normale. Cette douleur morale nourrit à son tour la croyance en l'absence de l'Amour divin. Ceci explique l'attrait de l'homme pour tout ce qui est négatif, extrême ou non : déceptions, malheurs et peines de toutes sortes. Ce faisant, il projette à l'extérieur ce qu'il croit vivre en lui, soit le non-Amour.

Ne pouvant vivre sans Amour, car celui-ci est sa nature même, l'homme ne cessera d'essayer de le trouver à l'extérieur : par exemple chez un conjoint, un enfant ou un animal, dans une reconnaissance sociale à petite ou grande échelle, dans la possession d'une voiture puissante et luxueuse, d'un compte en banque bien garni ou d'une maison-château. Mais l'amour ainsi obtenu a totalement perdu son caractère divin.

Cet amour est l'amour avec un petit " a ".
C'est celui de l'ego aux caractéristiques nombreuses :

L'amour-dépendance car il dépend de l'obtention
d'un bien ou d'une action d'autrui,
L'amour-besoin car il résulte de la négation
de l'Amour en nous,
L'amour-dualité car il implique un amour
sélectif,
L'amour conditionnel car sans la forme désirée
il ne peut exister,
L'amour égoïste et intéressé, toujours avec
un but déterminé.

L'obtention ou non de l'élément de vie désiré nous fait passer de l'amour à la haine, de l'euphorie à la dépression, de la joie à la souffrance, cette dernière s'exprimant par le biais de divers sentiments. Si cette acquisition dépend d'éléments intermédiaires, nous pouvons expérimenter la même dualité à l'égard de ceux-ci. Prenons l'exemple de Jacques qui rêve d'une promotion. Son superviseur ne reconnaissant pas en lui les qualités recherchées, la lui refuse. Jacques est déçu tout autant de la situation que de son patron qui, à ses yeux, lui barre la route.

Différencier un sentiment d'une émotion n'est pas toujours aisé. J'ai tenté de les répertorier selon leurs diverses dénominations :

Sentiments	Émotions
aigreur, convoitise	agitation, angoisse
culpabilité, déception	anxiété, colère
envie, honte	confusion, déprime
haine, impuissance	dépression, désespoir
jalousie, peur	frayeur, incertitude
rancoeur, ressentiment	inquiétude, panique
tristesse	phobie

Les sentiments correspondent aux composantes d'un liquide qui sous l'effet d'un événement s'échappent de leur contenant de façon graduelle, subite, désordonnée ou explosive. C'est alors qu'ils prennent le nom d'émotions, ces dernières faisant office de voile par rapport à leur source. S'ils sont négatifs, ils deviennent à coup sûr déstabilisants pour celui qui les ressent et parfois pour l'entourage de ce dernier.

Le défi est d'accueillir la souffrance sous toutes ses formes ainsi que de faire émerger la croyance l'ayant générée afin de ne plus y adhérer. Il devient alors possible d'être davantage en contact avec Dieu. Encore là, il vous reviendra de choisir les voies pouvant vous aider à relever ce défi.

Pire, la résistance à la souffrance

En fait, la résistance à la souffrance est plus douloureuse que la souffrance elle-même ! En résistant à celle-ci, j'en étais venue à ne plus ressentir ce qu'il y avait en moi créant ainsi un vide intérieur. Ceci ne m'a rendue ni meilleure, ni plus heureuse mais m'a tout simplement éteinte. Ainsi, j'offrais aux autres, souvent sans le savoir, des sourires en plastique qui cachaient toutes sortes de frustrations.

Avec le temps, j'ai accepté de vivre mes états d'âme pour finalement améliorer grandement mon bien-être psychologique. Tout comme je peux écouter le vent lors de son passage, je peux maintenant écouter ma peine. Lorsque ceci se produit, il m'arrive de me recroqueviller physiquement sur moi-même pour retrouver la chaude quiétude d'un lieu protégé ou encore, je ressens un agréable relâchement et parfois même un surcroît d'énergie.

Le processus de diminution de la résistance et donc de la souffrance elle-même, peut s'effectuer graduellement ou de façon subite tel que mentionné dans la section *L'évolution de la conscience*, à la page 57, de ce livre.

Faire face à la douleur morale et cesser de lui résister est un processus qui peut paraître dérangeant. C'est la raison pour laquelle plusieurs préfèrent la nier, l'ignorer, en faisant appel à des arguments intellectuels. L'ego, qui n'est somme toute qu'une construction mentale, n'hésite jamais à s'exprimer quand c'est dans son intérêt !

Lorsque cette douleur est ressentie, elle représente une autre forme d'intelligence, avertissant que quelque chose ne va pas en nous. En nous appliquant à la comprendre, nous sommes davantage en mesure de nous comprendre mais aussi de comprendre les autres.

J'ai eu une soeur qui s'appelait Louise. Ses armes contre la souffrance ont été l'alcool et les médicaments. Avec le temps, elle s'est libérée de l'alcool mais, non des médicaments. Comme ces derniers faisaient de moins en moins d'effet, elle en a pris de plus en plus pour finalement mourir d'une intoxication médicamenteuse. Afin de mieux comprendre ce qui s'était passé, ma mère a lu son journal. Celui-ci ne contenait rien de spécial à part que ma soeur y avait mentionné fréquemment qu'elle avait peur. Peur de quoi, nous ne le saurons jamais. Ce n'est qu'au moment où j'ai commencé à ressentir ma souffrance et donc la crainte d'y faire face que j'ai davantage compris ma soeur et que je lui ai demandé pardon de l'avoir si mal jugée. Je lui en avais voulu de l'enfer qu'elle nous avait fait vivre avec sa sensibilité à fleur de peau et ses reproches. Mais aujourd'hui, je réalise davantage ce qu'elle a vécu non seulement dans son tourment mais également dans le sentiment probable d'impuissance qu'elle éprouvait à y trouver une solution.

À l'écoute de ce qui passe à travers le monde, il semble bien que le problème vécu par ma soeur est encore d'actualité. Elle a choisi les médicaments et l'alcool. Certains utilisent la drogue ou d'autres moyens tout aussi destructeurs, dont certains sont plus socialement acceptables, tels que la suractivité, la compulsion ou la recherche de performance. Quel que soit le procédé utilisé, il n'est que fuite par rapport à une douleur.

Est-il nécessaire de souffrir ? Non !

La souffrance est à la source de l'ego qui en est le maître. Il nous fait croire qu'elle est normale car, après tout, qui peut dire qu'il est parfaitement heureux ? En même temps, il en nie l'existence, se protégeant ainsi de lui-même. Or, cesser de résister à cette douleur permet de faire émerger celle-ci, accompagnée de la croyance qui l'a générée et ce jusqu'à disparaître. Libre à vous par la suite d'adhérer à une conviction moins nocive ou encore... de vous laisser guider par Dieu.

Pour vous libérer de cette résistance, ouvrez votre esprit et faites appel à Dieu, peu importe le nom que vous lui donnez. Souvenez-vous des concepts élaborés précédemment : demeurez ouvert à ses messages qui vous arriveront sans tambour ni trompette ! Les changements qui en découleront ainsi que les expériences que vous vivrez se dérouleront sans doute dans la plus grande simplicité. Ne vous étonnez pas non plus que quelques mots, une simple image ou un élan du coeur vous apportent la réponse recherchée. Certes, l'ego y mettra du sien, en vous suggérant des réponses de son cru, mais grâce à l'évolution de votre conscience, vous serez en mesure de discerner sa part et celle de Dieu.

Acceptation, non-résignation et appréciation

Sous l'égide de l'ego, l'être humain accorde une attention plus grande à ce qui est négatif qu'à ce qui est positif. Le contenu de nos conversations et les messages véhiculés par les médias en témoignent largement. Même les divertissements comme les films et les pièces de théâtre en sont marqués. Or, il est difficile d'expérimenter l'amour, la gratitude, la joie quand le négatif prend le dessus ! Cependant, en acquérant de la transparence, l'ego permet aux états d'âme négatifs de disparaître graduellement et aux sensations positives d'être teintées de plus en plus du Divin en nous.

Il est certes possible d'ignorer ce qui en nous, est négatif. Cependant, le désavantage de cette façon d'agir est l'impact sur le corps tant énergétique que physique. Ce corps est votre maison ! Qu'arrive-t-il à une demeure non entretenue ? Au niveau tant intérieur qu'extérieur, la poussière et la saleté recouvrent graduellement les meubles, planchers et fenêtres ainsi que différents éléments physiques qui se dégradent au fil du temps et des intempéries. Il est difficile dans ces conditions de percevoir sa beauté, n'est-ce pas ? Avec des fenêtres si sales au travers desquelles l'on peut voir le monde, comment en apprécier la splendeur ? À l'instar de cette maison, une personne finit par trouver sa vie plutôt laide. Il lui devient également difficile de percevoir l'esthétique et d'apprécier les êtres qui l'entourent tout comme de se faire estimer par eux. La qualité des décisions de notre personnage peut s'en trouver affectée, car celles-ci sont basées sur une vision ternie, ce qui contribue à nourrir davantage le négatif en lui ainsi que des sentiments tels que le manque de confiance en soi et dans la vie, l'insécurité, etc.

Comme si cela ne suffisait pas, des occasions peuvent lui passer sous le nez, car les gens s'éloignent instinctivement des êtres négatifs. C'est le coût d'opportunité dont parlent beaucoup d'ouvrages tant économiques que psychologiques, c'est-à-dire les avantages dont on n'a pas bénéficié suite à une perte. De plus, son corps pourra subir des contrecoups sous la forme de maux de tête, tension artérielle élevée, maux d'estomac, ulcères, asthme incontrôlé, etc. Les médicaments allègeront peut-être ces maux en partie ou en totalité, mais ne les élimineront pas puisque ce sont les symptômes et non les causes qui auront été traités.

Vous trouvez que vous ressemblez un peu trop à ce personnage fictif ? Ne paniquez pas ! Consultez au besoin un thérapeute ou un médecin de façon à vous remettre d'abord sur pied en réfrénant les effets psychologiques ou physiques négatifs. Ensuite, attaquez-vous au grand nettoyage de votre intérieur.

Entre-temps, évitez d'accumuler à nouveau des sensations négatives. Comment ? Par l'acceptation d'une situation, sans toutefois tomber dans la résignation, et sans oublier d'apprécier les avantages qu'elle vous procure.

L'acceptation d'une situation, c'est le fait d'admettre émotionnellement qu'un événement s'est produit ou existe. Prenons l'exemple de Sylvie qui ne se sent pas reconnue au travail. Elle en souffre lorsque, selon sa perception, elle aurait dû recevoir un compliment ou une promotion et qu'il lui arrive le contraire. Elle accumule chaque fois une charge énergétique négative supplémentaire. En spiritualité, on dirait que Sylvie nourrit son insatisfaction, ce qui grossit cette dernière. Elle aurait pu préserver son bien-être en acceptant émotionnellement la première situation de non-reconnaissance, puis les suivantes. Mais ce n'est pas ce qui fut fait ! Donc, sa santé psychologique et possiblement physique a été mise en danger. Elle s'est ainsi retrouvée avec une colère accrue envers elle-même et son entourage, ainsi que de l'acidité dans l'estomac. Si Sylvie avait accepté la situation en question, elle aurait arrêté de se battre contre ce qui était. Ainsi, elle aurait eu davantage d'énergie à consacrer à l'élimination de cette masse énergétique négative bâtie au cours du temps.

La non-résignation est la volonté d'améliorer une situation. Accepter celle-ci ne signifie pas pour autant renoncer à la rendre meilleure. La vraie spiritualité a un côté très pratique. Elle vise votre bien-être au quotidien et non uniquement celui lié à un paradis céleste que vous atteindrez sans doute un jour ! Revenons à Sylvie. Afin de se revaloriser aux yeux de son patron, elle aurait pu informer celui-ci des difficultés reliées à son travail ainsi que des solutions qu'elle y a apportées. Elle pourrait aussi se chercher un autre emploi qui serait susceptible de lui apporter la reconnaissance recherchée. Malgré les mesures de non-résignation prises, il est possible qu'elle demeure tout de même insatisfaite. Dans un tel cas, il y a fort à parier que ses attitudes, comportements et décisions seront teintés de cette insatisfaction et qu'elle manquera par conséquent nombre de bonnes occasions.

L'appréciation ou la gratitude est la découverte des avantages d'une situation, au préalable neutre ou difficile, qui rendent son acceptation plus aisée. Ces atouts peuvent être de toute nature, incluant de nature spirituelle. Revenons de nouveau à Sylvie. Elle voit dans la conjoncture vécue une occasion d'apprendre à se faire valoir. Parallèlement, elle peut aussi apprécier le soutien reçu de la part de son conjoint ou d'amis mais également le fait de jouir d'un logement confortable, de la compagnie d'animaux domestiques ou de temps libres enrichissants. Un autre type d'appréciation fera surface aussi lorsque Sylvie conclura que cette situation l'a rendue davantage apte à communiquer et à s'affirmer. Il s'agit donc de la conscientisation d'un apprentissage.

Il est généralement difficile pour la plupart d'entre nous d'apprécier un événement qui nous fait souffrir ainsi que le soutien reçu afin de mieux le vivre. Y parvenir n'est donc pas automatique. En fait, c'est en soi un apprentissage ! Personnellement, ce n'est qu'avec le temps que j'y suis arrivée. La spiritualité m'a appris à être moins happée par mes sentiments et émotions et à cesser de ne voir l'existence qu'à travers eux.

L'appréciation serait le meilleur antidote à l'orgueil ! Elle conduit au détachement, défini comme étant la capacité de ne plus être troublé par une situation donnée tout en demeurant heureux.

Vous vous demandez quand, enfin, vous atteindrez cette appréciation suprême, connue sous le nom de nirvana, avec tous ces beaux sentiments divins tels que l'Amour, la Gratitude ou la Joie ? Ne vous préoccupez pas de savoir quand cela se produira. Cela fait partie des surprises agréables de la vie. Il n'y a pas de règle précise quant aux modalités d'atteinte de cet état. Ce peut être soudain ou graduel, sans avertissement ou avec de petits signes avant-coureurs, ce peut être court ou long.

Votre expérience sera personnelle tout comme votre façon d'y accéder. Ce qui est certain, c'est que lorsque les sentiments positifs auront grandi en vous et que le processus d'évolution de votre conscience se sera accéléré, vous pourrez vivre cette expérience extraordinaire. Cependant, le défi n'est pas seulement de l'atteindre mais, de conserver cet état à jamais. Ce qui, vous vous en doutez bien, exige temps et énergie.

Qu'est-ce que l'amour avec un grand A ?

La civilisation occidentale associe amour et souffrance. Pour d'autres philosophies et sociétés de type hindou ou bouddhiste, l'amour est une compassion sans souffrance car l'être qui la ressent se sent comblé.

Cet Amour est l'Amour avec un grand A, qui n'est fonction de rien, qui ne dépend de rien, qui n'a besoin d'aucune raison ou condition pour exister.
C'est l'Amour de Dieu qui a un objet, puisqu'il s'exprime à travers tout ce qui existe et qui, paradoxalement, est sans objet car il ne dépend de rien pour exister.

L'Amour est une action ressentie mais non nécessairement posée. Il s'exprime par un accueil sans jugement et permet à la personne qui le canalise d'accueillir la ou les souffrances ressenties. Celles-ci alors émergent, prennent de l'espace et puis se dissolvent, laissant ainsi la place à l'Amour qui peut ainsi s'exprimer librement.

Le premier pas à franchir est de vous guérir. Ce faisant, votre ego deviendra transparent et cèdera la place à l'Amour en vous. C'est par le biais de ce dernier que vous serez en mesure, par la suite, d'aider votre entourage à guérir aussi. Pour le connaître, il s'agit de vous laisser conduire par Dieu et non par l'ego. C'est la seule façon, selon la spiritualité, d'y arriver.

Qu'en est-il de la souffrance alors ? L'Amour ne fait pas souffrir. Au contraire, il libère sans rien forcer. Associer la souffrance à l'Amour est une conception de l'ego.

S'aimer et aimer

L'évolution de la conscience comporte de grands avantages au niveau de la gestion de votre vie quotidienne. L'un d'eux est d'apprendre à vous aimer, à aimer les autres et à faire la part des choses entre les deux. En conséquence, face à une situation perçue comme étant négative, vous ne la considérerez pas automatiquement comme un manque d'amour ou comme une attaque personnelle à votre égard et donc vous ne blâmerez pas d'emblée les autres pour ce que vous vivez. Vous observerez de préférence les sensations ainsi que les croyances à leur source que cette situation fait émerger. Une fois celles-ci découvertes, vous continuerez à créer votre vie mais, cette fois, non pas à partir d'un ego blessé mais plutôt de Dieu ou l'Amour.

L'importance d'être aimée était tellement essentielle pour moi que la seule pensée de ne pas l'être me faisait trembler. J'aimais mieux ne pas y songer pour ne pas avoir à y faire face, sans pour autant résoudre mon problème ! Je me suis libérée de ce besoin paralysant lorsque j'ai accepté, il y a près de quinze ans, l'idée que l'homme que j'aimais ne me rendait pas cet amour. J'ai alors senti se manifester à travers tout mon corps une grande détente. Cette prise de conscience m'a permis d'observer objectivement ses comportements et de conclure qu'en effet, il ne m'aimait pas. J'aurais pu également arriver à la conclusion contraire, c'est-à-dire qu'il m'aimait. Ma peur de ne pas être aimée m'empêchait d'arriver à une conclusion juste et d'agir en conséquence.

J'aimerais maintenant vous faire part de mes réflexions sur l'amour :

1. Aimer et ne pas aimer sont-ils des contraires ?

En grammaire, aimer est l'antonyme de ne pas aimer. S'agit-il vraiment de contraires dans la vie ? Plus souvent qu'autrement, non. À titre d'exemple, Alexandre aime Isabelle d'un amour tendre alors que celle-ci ne ressent que de l'amitié pour lui. Alexandre se sent par le fait même rejeté. Est-ce le cas ? Pas nécessairement... En effet, ceci n'empêche pas Isabelle d'apprécier Alexandre et de reconnaître ses qualités. Elle peut également préférer la tranquillité de son appartement à la vie commune, sans que ça n'affecte la profondeur de ses sentiments envers lui.

Les expressions " J'aime " et " Je n'aime pas " réfèrent à la dualité amour-haine. Puisque l'ego masque par un écran, notre véritable nature, il nous revient de décider de croire ou non à l'existence de l'amour avec un petit ou un grand A. À mon avis, il n'y a rien de pire pour un être humain que de conclure qu'il n'est pas aimé. Une telle croyance génère des sentiments d'agressivité envers soi-même ou envers les autres.

2. Qui se ressemble, s'assemble... et les contraires s'attirent !

Si vous ne vivez pas en couple, ça ne signifie pas que vous n'êtes pas aimé et par conséquent rejeté. Cela veut simplement dire que vous n'avez pas trouvé la demi-pomme qui vous ressemble ! Ça n'empêche pas celle-ci de chercher et de trouver l'amour avec une orange, les échanges étant possibles et même enrichissants ! Ça n'empêche pas non plus la communication ou l'équité entre les pommes et les oranges ! En langage populaire, on parle d'atomes crochus et en spiritualité d'énergies compatibles. L'adage " Qui se ressemble, s'assemble " trouve également son application dans d'autres domaines de la vie tels l'amitié ou l'emploi.

3. S'aimer, c'est s'accepter ?

S'aimer, c'est s'accepter et donc se donner la permission d'être tel qu'on est, sous tous nos aspects, sans culpabilité. Un premier exemple serait d'accueillir votre goût pour le désordre en vous permettant de ne rien faire ou de dormir de longues heures durant vos jours de congé. Un second serait de reconnaître et d'accepter la haine que vous portez en vous, sans en avoir honte, c'est-à-dire sans vous juger pour autant. Cela ne signifie pas qu'il faut agir à partir d'elle et aller insulter ou tabasser ce voisin dérangeant mais plutôt la ressentir pour mieux la comprendre. Il ne s'agit pas nécessairement d'envoyer paître famille et travail, mais d'être à votre écoute pour mieux vous libérer de ce qui est négatif en vous et des croyances à leur source. Par la suite, vous serez davantage en mesure de prendre des décisions éclairées à votre sujet.

S'aimer, c'est prendre soin de soi, de ses blessures tant affectives que physiques. C'est établir, au besoin, ses limites et ne pas permettre aux autres de les dépasser. C'est se donner de la compassion, devenir autosuffisant émotionnellement, sans avoir besoin d'attendre l'empathie des autres pour mieux se sentir.

C'est se faire passer avant les choses. Aussi surprenant que cela puisse paraître, vous serez ainsi amené à placer les gens avant les choses et à renverser l'attitude de la société moderne qui a tendance à donner plus d'importance aux choses qu'aux gens. Tout le monde y gagne, vous comme les autres.

S'aimer, c'est aussi accepter de faire des efforts et de retarder des satisfactions immédiates afin de se garantir un avenir meilleur. Cela demande parfois des sacrifices à court terme et suppose une volonté ferme de régler des situations problématiques plutôt que de s'en accommoder. C'est toute la différence entre ceux qui choisissent d'être le moins malheureux possible et ceux qui décident d'être le plus heureux possible.

S'aimer, signifie employer les moyens nécessaires pour retrouver le contact avec sa divine nature qui est Amour mais aussi, Créativité et Joie. Selon la spiritualité par une telle reprise de contact, vous ne ressentez plus aucun besoin car ils sont tous comblés. C'est pourquoi il est dit qu'une personne expérimentant sa nature divine devient à la fois son père, sa mère, toute sa famille et même tout ce que contient l'univers entier ceci incluant les personnages de ses bandes dessinées et même les bandes dessinées elles-mêmes. Par ce contact divin, la personne est le " Cela " dont la spiritualité parle. C'est-à-dire dénuée de toute forme et libérée de toute croyance. De là, elle expérimente la liberté, créant ce qu'elle désire, sans aucune limite.

En conclusion, s'aimer, c'est se prendre en charge et prendre la direction de sa vie en tant que maître absolu de sa destinée.

4. Être aimé est-il nécessaire ?

Tant que nous nous identifions à l'ego, nous ressentons le besoin d'être aimé. Nous en avons déjà parlé plus haut, celui-ci se perçoit séparé de Dieu, causant ainsi un vide intérieur d'Amour. Nous cherchons à combler ce vide par des moyens extérieurs, telle une relation amoureuse satisfaisante. Si nous n'y arrivons pas, nous ressentons de la souffrance, que l'on qualifie de chagrin, ennui ou solitude.

L'intensité du désir d'être aimé varie selon les individus. Ce qui ne change pas, par contre, c'est la relation de cause à effet : plus l'aspiration est élevée, plus l'est aussi le désir de la combler, à n'importe quel prix. Il est donc important à la fois de la reconnaître mais également de se questionner sur la qualité de nos relations avec les autres.

Quand on s'engage dans une relation amoureuse, on a des étoiles dans les yeux et tout baigne dans l'huile. Trop amoureux de l'amour, on ne réfléchit pas toujours à des questions fondamentales comme : Partageons-nous les mêmes orientations et valeurs ? Me traite-il avec respect ? Me prouve-t-elle son amour par des actes concrets ? Agit-il de façon indifférente ? Se révèle-t-elle sous son vrai jour ? Porte-t-il un masque pour que je l'aime ?... Des réponses à ces questions sont parfois déchirantes une fois engagé émotionnellement, socialement et financièrement. Elles le sont d'autant plus lorsque surgissent des peurs liées à une séparation éventuelle telles que : se retrouver seul, avoir la charge d'élever seul des enfants, ne plus avoir la même qualité de vie financière, blesser les enfants en les plongeant dans un foyer désuni, être mal perçu socialement si l'on prend l'initiative de la séparation, etc.

Au cours d'une relation engagée, il est normal de se poser des questions : Suis-je bien avec lui ? Ai-je du plaisir à discuter avec elle ? Suis-je prêt à la soutenir dans les épreuves ? Me soutient-il dans les coups du sort ? Suis-je prêt à partager avec elle ?... Et elle ? Quel prix je paie pour obtenir l'amour désiré (ex. : co-location sans union véritable, non-respect de soi, abandon de ses objectifs personnels, etc.) ? Les réponses à ces questions prendront sans doute une forme intellectuelle, du style " Oui, je le crois ". Cependant, il est préférable d'examiner ce que ressent votre corps et les réactions qu'il manifeste, l'intuition passant souvent par celui-ci pour se faire entendre.

Il ne s'agit pas de rejeter les réponses rationnelles de l'intellect. Il faut plutôt les confronter à celles du corps pour les valider, mieux les comprendre et prendre des décisions plus éclairées. C'est un service à vous rendre ainsi qu'à l'autre. La conséquence de cette double interrogation permet d'approfondir la relation ou de la briser. Il faut être prêt à faire face aux réponses et à leurs conséquences. Dans le cas d'une relation brisée, les deux partenaires en bénéficient car ils investissent moins de temps à maintenir des relations insatisfaisantes et ainsi chacun peut continuer sa route plus rapidement.

Le besoin d'être aimé est associé à la dépendance affective. Une personne est dépendante affective lorsqu'elle ne peut être heureuse sans l'être aimé. Dans le cas où cet être disparaît, peu importe la raison, elle devient malheureuse et peut en vouloir à l'autre. Cela peut aller jusqu'à adopter des attitudes ou comportements agressifs à son égard. Elle peut également espérer son retour ou rechercher une relation identique à la première. De façon générale, on observe que pour cette personne, la vie n'a plus de sens et elle se sent moins désirée ou désirable. Bien sûr, il est normal d'être malheureux lorsqu'une relation amoureuse bat de l'aile ou se brise. Ce n'est pas en soi un état de dépendance affective, à moins que cet état malheureux ne perdure et s'exprime de façon déraisonnable.

La ligne de démarcation entre l'autonomie et la dépendance affective n'est pas toujours évidente. Prenons l'exemple d'André qui craint de perdre sa conjointe. Il lui offre des cadeaux, lui rend de petits et grands services, tente d'être l'amant parfait, le père parfait, l'homme parfait, l'homme rose. Mais, il ne s'arrête pas là ! Souvent il n'exprime pas le fond de sa pensée afin de ne pas lui déplaire, il fait des compromis, à son détriment, dans le but de la satisfaire, bref il fait passer les besoins de sa femme avant les siens. Dans un tel cas, il est fort à parier qu'André est dépendant, affectivement parlant, de sa compagne.

Soyez prudent dans votre diagnostique ! L'observation d'un ou de quelques moments de vie ne suffit pas pour établir un jugement. Nous avons tous nos défauts et nos sautes d'humeur et à l'occasion nous refusons de nous affirmer, nous cherchons à plaire à l'autre en lui rendant service ou en lui offrant des cadeaux, nous faisons un compromis qui ne nous satisfait pas, nous ravalons nos paroles pour éviter un conflit. Toutes ces attitudes sont normales face à une situation donnée. La dépendance affective s'installe lorsque ces agissements et comportements deviennent récurrents, fréquents et constamment au détriment de la personne qui les vit.

L'observation de la conduite humaine et les conclusions qu'on en tire ne doivent pas servir à nous culpabiliser ou à rendre coupables les autres. Elles nous permettent toutefois de conscientiser notre besoin d'être aimé et ce que nous sommes prêts à faire pour le combler même à notre détriment.

5. S'aimer et aimer les autres, comment faire la part des choses entre les deux ?

S'aimer est normal et sain. Si vous ne vous aimez pas, comment pouvez-vous être heureux ? Si vous ne vous aimez pas, comment pouvez-vous rendre les autres heureux par votre simple présence, ceux-ci ressentant autant que vous votre malaise ? Ne pas s'aimer ne peut que vous conduire à une faible estime de soi plutôt qu'à l'entière réalisation de votre être.

S'aimer et aimer les autres sont deux notions complémentaires et non contradictoires. Dans ce scénario, personne n'est oublié, ni le receveur ni le donneur et tous deux y gagnent.

Aimer les autres sous-entend les apprécier comme on s'apprécie. Cela signifie, prendre en charge son propre bonheur, et souhaiter aux autres le même degré d'autonomie afin qu'ils l'acquièrent. Tel un guide qui prodigue des conseils, il est important de laisser à l'autre le soin de prendre ses propres décisions. Autrement dit, vous ne ferez pas les choses à sa place, ce qui reviendrait à lui dire, de façon indirecte, qu'il n'est pas le maître de sa vie. Vous reconnaîtrez en lui son propre pouvoir pour trouver des solutions et les mettre en pratique. Finalement, vous cesserez de prendre sur vous la responsabilité du bonheur et de la vie des autres.

Il faut toutefois user de discernement dans la décision d'octroyer une aide, un conseil ou un don matériel. Par exemple, octroyer une aide alimentaire à des enfants qui n'ont pas la chance de déjeuner le matin est adéquat puisque ça leur permettra de mieux se concentrer en classe et ainsi d'obtenir de meilleurs résultats scolaires. Pour les personnes adultes, la vision est différente : à court terme on peut mettre à leur disposition une aide alimentaire mais à long terme il faut viser à les outiller afin qu'ils deviennent autonomes au niveau financier. Il leur incombera également d'appliquer ce qui leur aura été transmis et d'user de créativité ainsi que de débrouillardise dans leur prise en charge.

Le concept de responsabilité individuelle semble si logique qu'on croit qu'il est aisé de l'endosser. Détrompez-vous ! Quand les difficultés surgissent, les sentiments et les émotions abondent mais pas toujours en conformité avec ce concept et dans ce cas, l'on recherche naturellement un responsable. C'est une notion qui, à première vue, rebute et je dois bien avouer qu'il m'arrive encore de vouloir la mettre à la poubelle. Mais mon expérience de vie m'a enseigné que cela ne résolvait rien, alors je me hâte de repêcher le principe en question avant que les éboueurs ne passent !

Communiquer, c'est essentiel ! Mais comment ?

L'amour de soi et des autres passe par la communication. Mais qu'est-ce que communiquer ? Bien des pages ont été noircies à ce sujet ! Je vous propose une illustration des niveaux de communication à travers un savoureux gâteau !

Dans un gâteau, il y a la pâte.

La pâte est le coeur du gâteau puisqu'elle détermine sa consistance, sa saveur principale, ses éléments nutritifs (et caloriques !). C'est à ce niveau que s'établit la vraie communication, celle où l'on parle de ce que l'on ressent et de ce que l'on désire véritablement. Elle est généralement de nature intime et réservée à quelques personnes de confiance.

Sur un gâteau, il y a le glaçage.

Le gâteau peut se manger sans glaçage, bien sûr mais, il n'est pas vraiment complet sans lui ! Dans ma conception, celui-ci représente les relations sociales et techniques que nous entretenons avec les gens. Elles constituent un superflu agréable et utile. Il s'agit d'échanges d'informations et d'opinions sur des sujets aussi divers que le ménage, l'épicerie, les dernières trouvailles sur internet, la situation politique dans les différentes régions du globe, etc. Ces échanges se produisent souvent au cours de rencontres familiales, de réunions sociales ou d'affaires. Ils peuvent également avoir lieu chez soi, dans un café, dans un restaurant ou un bar, dans le métro avec une copine qui fait le même trajet, dans une file d'attente à l'épicerie et partout où vous l'imaginez !

Sur un gâteau, il y a les cerises.

Elles constituent un élément décoratif délicieux. Ce sont les relations intimes, parfois sexuelles, que nous établissons avec une autre personne. Ce sont les communications intenses qui se produisent souvent plus par les yeux et les gestes que par les paroles.

Tous ces éléments, la pâte, le glaçage, les cerises, se mélangent quand on mange le gâteau de la communication, leur dosage dépendant des relations qui s'avèrent appropriées au moment du casse-croûte et en fonction du contact établi avec l'autre intervenant.

Au cours de ces échanges, nous expérimentons diverses situations. Nous pouvons être en accord ou en désaccord avec les propos ou le cours des événements, chacun des intervenants conservant sa liberté de pensée et d'action.

Les fréquentations établies hors du couple, de la famille ou des amis sont généralement de nature plus superficielle moins ponctuelles dans leur profondeur quand il s'agit du travail. Il est normal qu'il en soit ainsi dans un monde où règne la concurrence avec tous ses inconvénients. Les propos qui suivent s'appliquent à des communications profondes et soutenues, celles que l'on retrouve dans un couple, une famille ou entre amis.

1- Un environnement exempt de jugement

Une véritable communication s'établit dans un environnement exempt de jugement. Se moquer d'une personne, la dénigrer, mépriser ses buts et ambitions, être violent psychologiquement ou physiquement ou simplement l'ignorer constituent des pierres qui serviront à ériger un mur entre vous et l'autre.

Dans le but d'optimiser l'échange, il est préférable de s'exprimer à la première personne en se servant du " Je ". Cela permet de prendre la responsabilité de ce que l'on ressent sans en rejeter la faute sur l'autre. Mais n'utilisez pas cette excuse pour exclure le partage et la prise en charge de responsabilités telles que le ménage et l'épicerie !

L'une des trois grandes attitudes de l'ego émerge dans le mode jugement :

- *Celle de la victime qui se dit non responsable de ce qui lui arrive et qui rejette la faute sur un élément extérieur à elle, soit un bourreau.*

- *Celle du juge qui condamne celui qu'il considère coupable.*

- *Celle du sauveur qui soustrait la victime à son bourreau.*

À divers degrés, nous endossons tous, de temps à autre, chacun de ces trois rôles parce que nous sommes tout simplement humains. Par contre, nous pouvons avec l'expérience et le développement de la conscience éliminer ces attitudes, par exemple en prenant l'entière responsabilité de la création de notre vie et en reconnaissant la responsabilité des autres vis-à-vis de la leur.

Dans un environnement exempt de jugement, le rire et l'humour occupent une place de choix. Ils nous évitent de nous prendre trop au sérieux et de dramatiser à l'extrême les situations quotidiennes.

2. Un concours de devinettes ?

De véritables communications ne peuvent s'établir sans que chaque intervenant présente son vrai visage tant en termes d'intérêts, de goûts, de façons d'agir que de sentiments ou d'émotions. Il ne faut pas perdre de vue la différence entre communiquer et agir. À titre d'exemple, exprimer sa colère pour l'expliquer est tout à fait différent d'agir sous l'effet de la colère en étant impoli ou insultant envers l'autre.

Les stéréotypes ont la vie dure et empoisonnent la nôtre en nous enfermant dans un carcan. Pourquoi devriez-vous, monsieur, correspondre à l'image type masculine de l'homme qui ne montre jamais sa peine ou qui a une solution à tout problème ? Pourquoi, madame, devez-vous présenter l'image de la patience et de la douceur avec votre enfant alors qu'il vient de vous irriter au plus haut point ? Dégagez-vous de ces clichés et soyez vous-même !

Laissez tomber le masque. Certes, il est humain de vouloir bien paraître devant la personne aimée mais devons-nous ignorer qui nous sommes pour autant ? Le prix à payer est un étouffement certain de notre moi. D'autant plus qu'en masquant nos vrais sentiments, nous induisons l'autre en erreur, puisqu'il prend pour acquis ce qui lui est présenté et réagit en conséquence. Vivre ainsi oblige à toujours aller vérifier la signification derrière chaque fait et geste pour pouvoir y répondre correctement. Quel poids !

Après tout, une communication entre deux personnes n'est pas un concours de devinettes !

3. Échanges, divergences d'opinions et chemins différents

Le but fondamental de la communication n'est pas de s'entendre ou d'avoir raison à tout prix. Il consiste plus à créer un contexte où l'amour véritable et donc le respect mutuel pourront s'exprimer et régner en toute liberté.

Deux personnes peuvent échanger profondément, confronter leurs opinions, choisir des chemins différents mais s'aimer tout de même. En effet, il se peut qu'il n'y ait pas de compatibilité ou de complémentarité entre ces personnes, sans que, selon la spiritualité, cela empêche l'amour. Le véritable amour laisse libre, comprend et accueille l'autre sans jugement. Je sais que souvent dans la réalité, il en est autrement mais cela est possible et peut se vivre. Pensez simplement à votre voisin qui n'adhère pas à vos vues sociales ou politiques. Est-ce que vous l'estimez moins pour cela ? Aimer et prendre des chemins différents ne sont pas nécessairement contradictoires.

4. Pas de gâteau sans pâte à gâteau

C'est l'évidence même puisque la pâte est l'essence même du gâteau. Il en est de même pour qu'une communication et donc une relation profonde s'établisse entre deux êtres. Pourtant beaucoup de gens ignorent ce fait et croient qu'il suffit d'échanger des informations ou des solutions (glaçage) ou encore de faire l'amour (cerises) pour qu'un contact intime se crée entre eux. Puis vient le jour où ils sont tout surpris de constater que malgré leur bonne entente, ils vivent le plus profond des ennuis. Une fois la routine installée, ils découvrent qu'ils ne sont plus que des co-locataires car ils ne parlent pas des sujets importants (la pâte à gâteau).

Voilà pourquoi, dès le début d'une relation et tout au long de celle-ci, il est important de déterminer si la proportion de la pâte à gâteau est suffisante pour assurer une véritable communication et vérifier si le glaçage et les cerises ne prennent pas trop de place. Cela peut éviter les dérapages et permettre de rectifier le tir au besoin.

Parmi les glissades ou dérivations les plus fréquentes en amour, on retrouve la qualité des relations sexuelles. Réfléchissons-y un moment. Dans notre monde moderne où nous tentons de concilier travail, famille et temps pour soi, nous manquons de temps pour notre couple. En conséquence, nos relations sexuelles sont trop souvent le résultat d'un besoin physique de relâchement des tensions plutôt qu'une expression de l'amour. Une de mes amies appelle ça un besoin hygiénique !

Le désir de se relaxer ou d'adhérer à des statistiques de fréquence nous pousse à faire l'amour en deux temps, trois mouvements. J'appelle ça le Bing, bang, pouf.

Si vous agissez ainsi, vous vous transformez en cocotte-minute en mal de ventilation et votre partenaire ne peut que le remarquer. Il peut le reconnaître et l'exprimer ou simplement ressentir un malaise avec des conséquences qui peuvent devenir dramatiques puisque cela le poussera peut-être à s'éloigner de vous psychologiquement ou physiquement. Comment éviter de se retrouver dans une telle situation ? Prenez le temps de prendre soin de votre intérieur. Ce n'est pas de la faiblesse de votre part. C'est un acte d'amour envers vous-même.

En résumé, les relations sexuelles peuvent être une activité enrichissante et valorisante et non uniquement stimulante à un niveau physique pour autant que les deux partenaires communiquent véritablement entre eux dans un contexte d'amour réciproque.

Se suicider... une résultante d'un manque de communication

Lorsque nous ne communiquons plus ni avec nous-même ni avec les autres, les choses parfois se corsent. Aspiré dans un mouvement descendant dont rien ne vient modifier le parcours, nous pouvons nous retrouver soudainement au bord du suicide.

J'en sais quelque chose... ayant été entraînée dans une telle spirale. Je l'ai bien mentionné à quelques personnes mais tellement brièvement et surtout au passé pour éviter ainsi des questions précises au présent. Je ne l'ai donc pas vraiment signalé à des parents, amis ou même à des thérapeutes. J'avais tout pour être heureuse... Alors je n'en ai rien dit, ne voulant ni être dans l'obligation de m'expliquer, ni d'épancher ma souffrance qui me semblait si grande, ni non plus d'être exposée au jugement d'autrui.

Comment en suis-je arrivée à avoir ce désir ?

Je ne sais pas exactement. Enfant, je n'étais pas vraiment animée d'une joie de vivre, bien qu'en société j'étais plutôt d'un naturel souriant. Il y avait en moi une souffrance que je ne parvenais pas à cerner, trop jeune pour comprendre ce qui se passait dans les profondeurs de mon être.

Ce n'est qu'à l'âge adulte que j'ai pensé au suicide et lorsque cela se produisait j'en planifiais le déroulement avec précision. J'aurais nettoyé mon logement de fond en comble, ne voulant pas le laisser en désordre avant de passer à l'acte. J'avais choisi de mourir en me coupant les veines et le sang aurait été recueilli dans une seau afin de ne pas salir le plancher fraîchement lavé.

Qu'est-ce qui me motivait à me suicider ?

Bien des raisons, différentes à chaque fois. Parfois, je n'avais simplement plus le goût de vivre, vivotant sans désespoir ni espoir dans le néant. Tantôt, ma souffrance intérieure était trop grande, tantôt la vie n'avait plus aucun sens et la volonté de dépasser certaines difficultés s'était envolée.

Est-ce que cela demande du courage de se suicider ? Bien que je n'ai jamais tenté de le faire, je vous dirais que non. Ne trouvant plus aucun sens à la vie ou la considérant comme trop difficile ou insupportable, ce choix peut alors devenir évident.

Est-ce que les personnes qui se suicident manquent de courage alors que celles qui ne le font pas en ont ? Difficile à dire puisque bien des gens continuent leur vie, tout en la fuyant, par exemple en refusant d'être eux-mêmes et d'agir en conséquence. Ne concluez pas trop vite ! Il y a bien des façons de se tuer... Il vous revient d'identifier lesquelles vous sont propres et ce, sans vous juger.

Qu'est-ce qui m'a retenue de le faire ?

Encore là, bien des raisons différentes à chaque fois. Ayant l'intime conviction que je suis sur la terre pour apprendre, écourter ma vie aurait alors signifié devoir y revenir pour compléter un apprentissage, sans compter devoir tout recommencer. La pensée de retourner à l'école me décourageait à l'avance ! De plus, responsable d'un contrat, je n'aurais pas voulu faire vivre à mes collègues de travail l'embarras d'un tel geste. Finalement, quand j'eus épuisé toutes les raisons valides à mes yeux, je ne l'ai pas fait à cause de mon chat parce qu'inquiète de ne pas savoir si d'autres personnes en auraient vraiment bien pris soin. Par la suite, le questionnement à cet égard s'est fait de moins en moins aigu au point de finalement disparaître.

Comment en suis-je vraiment arrivée à avoir ce désir ?

Je me le redemande à nouveau.

Plus jeune, une joie de vivre naturelle me manquait alors que la solitude ne me faisait pas défaut. Grâce à elle, j'ai vécu des moments de grande satisfaction au cours desquels j'ai senti une joie profonde monter en moi, quelque chose qui me remplissait et me transportait doucement. J'ai ainsi pris contact avec l'être que j'étais vraiment et de là, j'ai pu mieux orienter ma vie.

J'ai réalisé au cours du temps que l'idée de ne pas être seule et d'être acceptée des autres me réconfortait et me donnait énergie et enthousiasme face à la vie. L'idée inverse par contre générait en moi insécurité et colère. Ayant vécu dans un milieu où l'on exigeait de moi que je me débrouille seule, je ne pouvais concevoir la vie autrement ; ce qui, aujourd'hui, n'est heureusement plus le cas.

J'ai découvert également que la solitude n'est pas le fait d'être physiquement seul mais d'être coupé ou fermé par rapport à la vie, ce qui est en soi et à l'extérieur. On peut donc être entouré de gens et se sentir seul. Je me souviens d'un séjour à l'ashram de Gurumayi où à la cafétéria bondée, je me suis assise à une table pouvant accueillir facilement sept autres personnes. Me croiriez-vous si je vous dis que personne n'est venu s'y asseoir ? Lorsque je m'en suis rendu compte, je me suis mise à en rire. J'ai alors hélé un ami qui passait tout près pour lui raconter ce qui m'arrivait. En peu de temps, d'autres personnes sont venues se joindre à nous. Que conclure de cette anecdote ? S'ouvrir à la vie nous permet de la contacter. Parfois c'est facile, parfois, ça ne l'est pas.

En réaction à mes blessures, je me suis isolée sur une trop longue période, alors que j'aurais dû faire le contraire. Aujourd'hui, je ne lève plus les yeux au ciel mais je remercie plutôt les gens qui m'entourent de leur apport. Et quand je le peux, j'aide.

En vous communiquant cette partie intime de ma vie, je voulais vous dire que si vous ne voulez plus vivre, je vous comprends. Par contre ayant fait personnellement cette expérience, je voudrais quand même vous dire " Ne lâchez pas car il y a toujours des moyens de s'en sortir ". Par contre, cette décision vous appartient.

Outiller nos jeunes... un choix vers un monde meilleur

Notre société privilégie une instruction de type intellectuel axée vers la compréhension de l'environnement dans un but de contrôle de ce dernier. Constamment à la recherche de nouveauté, cette société encourage, et même parfois idolâtre, les réalisations tant matérielles, économiques et artistiques que scientifiques.

L'enseignement se concentre sur l'apprentissage, entre autres, des langues, de la géographie, des mathématiques, des sciences, enfin de tout ce qui est utile à connaître de la vie extérieure. Il a son intérêt et même sa nécessité. Cependant, il consacre peu de temps à aider les jeunes à comprendre ce qui se passe en eux et à y rechercher des solutions. Pourtant plusieurs vivent l'abandon, l'isolement, l'exclusion, la violence sous toutes ses formes dans des milieux familiaux identifiés ou non comme dysfonctionnels. Le personnel enseignant et d'encadrement est souvent dans l'impossibilité, en raison d'un manque de ressources, d'aider ces étudiants dans la gestion de leurs sentiments et émotions.

Des jeunes de tous les âges se retrouvent donc seuls face à leurs problèmes, mal outillés, dès l'enfance, vis-à-vis de ce mal-être qui se perpétue plus tard à l'âge adulte. Certains d'entre eux tomberont dans la délinquance, la drogue, la prostitution, la rage au volant, le suicide ou la violence familiale.

Des sommes considérables sont déjà consacrées à résoudre ces problèmes mais hélas, force est de constater qu'ils ne trouvent pas de solution puisqu'ils ne cessent d'exister et même d'augmenter. La société tente de limiter les gestes répréhensibles par l'adoption et la mise en application de lois et de règlements, l'emprisonnement d'assassins, la destruction de drogues diverses, etc. Elle apporte également une aide indispensable aux victimes d'actes criminels ainsi qu'à ceux désirant se sortir de comportements destructeurs. Toutes les actions entreprises en ce sens sont louables, excellentes et nécessaires, sauf qu'elles le sont seulement lorsque les problèmes sont déjà existants, bien en place et incrustés. On tente de guérir au lieu de prévenir.

En tant que société, il est urgent de reconnaître que la source des problèmes est l'être humain lui-même et ce qu'il vit en lui. Par sa nature, il cherche à répondre à ses besoins à travers l'achat de divers biens et services, etc. Tant que ceux-ci existeront, il cherchera à les combler. En conséquence, faire la guerre aux marchands de drogue ne fera pas disparaître ce marché tant qu'il y aura des acheteurs, des êtres humains qui éprouveront le besoin de se droguer pour alimenter la fuite de leur vie. Ne serait-il pas temps de prévenir plutôt que de guérir ?

Je ne préconise pas cette solution uniquement pour ceux qui se trouvent en difficulté. Je lance l'idée pour tous ceux qui ressentent le besoin d'être en paix avec eux-mêmes. Lorsqu'on ne se préoccupe pas de sa propre spiritualité, les possibilités d'accumuler frustrations et stress et de faire de mauvais choix de vie augmentent. Avec le temps, on s'enfonce dans les malaises et les difficultés de s'en sortir croissent. Alors, on devient une cocotte-minute qui explosera au moment le plus inopportun avec des conséquences potentiellement catastrophiques.

Heureusement, de plus en plus de gens et d'organismes se préoccupent maintenant de prévention. Je tiens d'ailleurs ici à souligner l'apport du programme de promotion sociale du Centre de Psycho-Éducation du Québec [20] dont le but est de permettre à de jeunes enfants de faire face à ce qu'ils vivent. À ce sujet, il y a dans la revue Isuma [21] un article intéressant de Richard E. Tremblay, professeur de pédiatrie, de psychiatrie et de psychologie à l'Université de Montréal. Il y fait un tour d'horizon des diverses opinions et recherches sur la violence chez les jeunes. Sur internet, il vous est également possible de consulter le ELNEJ [22], l'Enquête Longitudinale Nationale sur les Enfants et les Jeunes, portant sur le développement de ces derniers et parrainée par le gouvernement canadien.

Me basant sur mon expérience personnelle, je conseille une intervention meilleure et plus rapide auprès des jeunes concernant leur apprentissage de la spiritualité. Le message à leur transmettre est double :

- *Accueillir ses joies et ses peines est une nécessité personnelle ainsi qu'un signe de bonne santé mentale.*

- *Faire appel à une aide spécialisée ou non, est un signe d'intelligence et de sagesse, non de faiblesse.*

L'approche varierait nécessairement selon l'âge. Aux tout-petits on apprendrait à sentir et à prendre soin de leur petit coeur. Pour les enfants plus âgés, des thèmes se rapprochant de la vie d'adulte pourraient être abordés tels les problèmes et les interrogations spécifiques à leur groupe d'âge et leur vécu. Associé à ces enseignements, l'apprentissage de la communication serait essentiel, celui qui a pour but d'aider une personne à mieux cerner ce qu'elle ressent et à le laisser aller, par opposition aux techniques traditionnelles. La suggestion de lectures et moyens de guérison spirituels, avec possibilité d'application, serait aussi souhaitable.

Les jeunes deviendraient davantage autonomes dans la gestion de leur spiritualité et donc de leur émotivité, quel que soit leur âge. Bien sûr, certains feraient tout de même face à des situations difficiles mais, ils en auraient une meilleure compréhension et seraient davantage en mesure de trouver des solutions. Ils pourraient également s'entraider entre eux. Nous le savons tous, les adolescents surtout, préfèrent se confier à leurs pairs plutôt qu'à leurs parents. Alors pourquoi ne pas tabler là-dessus ? Par un enseignement plus adéquat, ils seraient davantage à l'écoute de leurs amis vivant les mêmes problèmes d'estime de soi ou les mêmes chagrins. Ils seraient donc de meilleurs confidents.

L'entraide est un besoin que nous avons tous, moi incluse ! Dernièrement, j'ai littéralement paniqué à la pensée de mon avenir financier. Je me suis sentie alors happée par une charge émotive bien au-delà de toute logique ou rationalité. Heureusement grâce à une de mes meilleures amies, j'ai pu rapidement me dégager de ce scénario dramatique. C'est au cours d'une de nos nombreuses " pauses syndicales ", c'est ainsi que nous baptisons affectueusement nos conversations téléphoniques, qu'elle m'a suggéré d'écrire afin de mieux cerner ce que je ressentais, dans le but de le libérer. C'était le coup de pouce dont j'avais besoin, malgré mes connaissances dans ce domaine. Je pourrais également citer bien d'autres gens qui au cours de nos échanges m'ont aidée en me permettant de mieux me comprendre et de me maintenir plus aisément à flot.

Si, malgré l'aide de leurs collègues, les jeunes requièrent une assistance spécialisée, on leur aurait au moins appris qu'il est normal de la demander, sans fausse honte. L'idée qu'agir de la sorte est réservé aux gens incapables de faire face à leur vie et à leurs problèmes est révolue. Ils doivent le comprendre et savoir qu'ils ne seront pas étiquetés pour cette raison.

Armés de tels enseignements, les jeunes devenus adultes auront accumulé moins de charges émotives négatives. Ils seront mieux outillés pour faire face aux événements de la vie. Sachant que les gens passent avant les choses, ils ne laisserait pas les réalisations extérieures prendre le dessus sur leur humanité. Qu'en dites-vous ? Ne vivrions-nous pas dans un monde meilleur ?

Chapitre 9

La guérison créatrice

Le but ultime de la vie, c'est d'être heureux mais également de se réaliser. La guérison créatrice aide à atteindre un tel objectif et ce, par l'élimination des obstacles se dressant contre l'expression de notre nature divine.

Ce chapitre vous en livre les principaux éléments. Je vous ai déjà entretenu de ceux-ci mais, les placer les uns par rapport aux autres peut vous éclairer davantage quant à leur rôle et leur fonctionnement dans l'amélioration de votre bien-être, tant intérieur qu'extérieur.

Attitudes et comportements à adopter

Le but de la guérison est de guérir vos blessures affectives, celles de l'ego et donc des croyances à leur source. Celles-ci correspondent aux amours déçues de l'ego et revêtent divers noms tant au niveau des sentiments que des émotions. Par contre que ceci vous rassure, votre nature divine ne fut, n'est pas et ne sera jamais affectée par qui ou quoi que ce soit.

Les attitudes à adopter afin de faciliter une telle guérison sont les suivantes :

- *volonté de se transformer ;*
- *ouverture à d'autres façons de voir ;*
- *acceptation, non résignation et appréciation ;*
- *reconnaissance d'être le maître de sa vie sans culpabilisation de soi.*

Étant Amour, Dieu respecte nos choix même si ceux-ci ne nous sont pas bénéfiques. Il revient donc à chacun de nous de décider de l'orientation de notre vie et de prendre les actions en conséquence.

L'ouverture à d'autres façons de voir conduit naturellement à percevoir au-delà des apparences. Elle est grandement facilitée par une acceptation émotionnelle à la fois de nos divers ressentis mais également des situations qui en font l'objet. Elle permet une meilleure appréciation de ce qui est vécu, sans qu'il y ait résignation.

Selon la spiritualité, vous pouvez être responsable, par exemple, d'un acte ou d'un crime sans que vous ayez à vous en culpabiliser, même si la justice intervient. En effet, votre qualité en tant que Rayon de Dieu ne peut être aucunement altérée par qui ou quoi que ce soit. Vous étiez divin dans le passé, vous l'êtes actuellement et vous le demeurerez pour l'éternité. Le vrai pardon consiste en la reconnaissance de cet état divin dans tout ce qui existe dans l'univers. Ne pas pardonner vous mène tout droit en enfer, celui du mental qui n'a de cesse de vous martyriser. Par contre, vous contenter de juger les autres ne règle rien car si vous émettez un jugement, vous l'appliquez aussi à vous-même... !

Les comportements à adopter afin de faciliter une guérison sont les suivants :

- *dialoguer avec notre ego ou avec Dieu ;*
- *utiliser des chemins ou moyens de guérison.*

Dialoguer avec votre ego (états d'âme, sentiments, émotions, etc.) ou avec Dieu, c'est questionner et écouter celui que vous aurez choisi. À choisir entre l'ego et Dieu, il est préférable de choisir le deuxième puisque c'est la façon la plus facile et efficace d'évoluer.

Utiliser divers chemins ou moyens de guérison permet à un individu de respecter son propre mode d'apprentissage qui est nécessairement fonction de sa personnalité. Il faut dire aussi que l'ego aime bien se reposer sur des techniques et les changer à l'occasion car la routine l'ennuie. Afin de répondre à de tels besoins, une multitude d'outils favorisant l'évolution du chercheur ont été créés. Ils constituent un soutien à l'expression du coeur et non une finalité. Ils permettent à des blessures d'émerger à la conscience afin d'éliminer les croyances à leur source et vice versa.

Le processus de guérison

Un processus comprend plusieurs étapes par lesquelles il faut passer afin d'atteindre le but recherché. Celui relatif à la guérison du coeur en compte trois :

1. Reconnaître la souffrance

Reconnaître sa souffrance, c'est accepter simplement qu'elle est là, en nous, au lieu de la combattre en la niant, la refoulant, la cachant, l'ignorant ou en adoptant une toute autre réaction équivalente. Elle peut prendre diverses formes :

- *des pensées incessantes ;*
- *des sentiments et des émotions ;*
- *des problèmes physiques comme un ulcère, de la tension artérielle élevée, des palpitations, etc.*

Elle trouve sa source dans une croyance (conviction, dogme, façon de faire, idée, pensée, etc.) et l'attachement inconscient ou conscient à celle-ci, le tout prenant la forme d'une masse énergétique qui s'emmagasine dans le corps. Elle relève toujours de l'ego.

2. Accueillir la souffrance sans s'y identifier

Accueillir sa souffrance, c'est accepter qu'elle nous livre à travers son expression le secret de son existence (croyance). Il s'agit de l'aimer sans la juger, sans y trouver plaisir sinon ce serait du masochisme. Sa présence nous montre qu'il y a dysfonctionnement au niveau de notre être. Elle nous indique donc un apprentissage à effectuer.

Théoriquement, vivre avec la souffrance demande une capacité à la supporter. Pourtant, c'est notre résistance à son égard qui la rend si pénible et non elle-même.

Souvenez-vous que vous n'êtes pas la souffrance qui vous habite. Au niveau d'Écho et de la guérison du cancer, ce concept est exprimé en reconnaissant qu'une personne qui a le cancer n'est pas une personne cancéreuse mais, une personne qui en souffre.

3. S'en remettre à Dieu

Le Dieu auquel je fais référence n'est pas obligatoirement celui d'un mouvement ou d'une religion. Il est une énergie d'Amour. Que vous le nommiez Créateur, Christ, Divin, Énergie Cosmique, Esprit-Saint, Grand Esprit, Grand-pa, Intuition, Jésus-Christ, Lumière, Source, Vie ou autre, peu importe. L'essentiel, c'est que vous vous en remettiez à un Être suprême que vous considérez comme saint.

Pourquoi ?

Parce que..., il est ce qu'il y a de plus élevé en vous. Vous êtes son être même et en conséquence vous avez le pouvoir de transcender votre souffrance, c'est-à-dire de la dissoudre et ainsi de la laisser aller.

L'ego de son côté, vous permet seulement de sublimer, c'est-à-dire de mettre de côté la souffrance sans la guérir. Il y parvient en s'accrochant à des croyances qui prennent la forme, entre autres, d'occupations extérieures ou de rituels religieux. Le problème n'est pas dans les formes elles-mêmes mais plutôt dans l'attachement à celles-ci. Je les surnomme les " bonbons de l'ego " lorsqu'un plaisir y est trouvé. En tombant dans ce piège, votre souffrance ne cesse pas d'exister et peut même s'accumuler au sein de votre être. L'ego assure ainsi sa survie comme celle de cette dernière qui est sa raison d'être. Pour l'ego, faire appel à Dieu c'est signer son arrêt de mort. Ce que, évidemment, il ne voudra pas.

Comment ?

En utilisant le formulaire Z-325.9, en trois exemplaires, envoyé au minimum dix jours ouvrables avant la date prévue pour le soulagement !!!

Heureusement, c'est beaucoup plus simple que ça ! En cours de méditation ou lors d'une simple conversation avec Dieu, demandez-lui de l'aide dans vos propres mots. Priez-le, entre autres, de vous communiquer la croyance à la source de votre malaise. Découvrant celle-ci, il vous reviendra alors de continuer à y adhérer ou à en adopter une plus saine. Vous êtes libre de diriger votre vie à votre guise car vous seul en récolterez les conséquences, bénéfiques ou non.

Puisque vous êtes le seul maître de votre vie, il en est de même pour les autres. Vous n'avez que vous à guérir. À titre d'exemple, Jean laisse traîner ses chaussettes au grand désespoir de Monique, sa conjointe. Celle-ci n'a pas à demander à Dieu de changer son compagnon mais plutôt d'apprendre à l'aimer malgré ce défaut ou encore de la débarrasser de son besoin obsessionnel d'ordre. Dieu, dans sa réponse, pourrait lui indiquer aussi qu'elle devrait apprendre à communiquer avec autrui, lorsqu'une situation ne se règle pas d'elle-même, au lieu de se faire du mauvais sang ! Nous n'avons donc qu'à nous occuper de nos affaires ! Une telle attitude n'est-t-elle pas reposante ?

Pour avoir le privilège de transmettre vos requêtes à Dieu, vous n'avez pas à lui présenter un curriculum vitae spirituel. De plus, il n'est pas nécessaire d'avoir à son crédit quelques bonnes actions, d'être une vieille âme, de suivre des ateliers, d'effectuer une démarche spirituelle depuis 10 ans et de vous adonner chaque matin, à des rituels sacrés. Nous sommes tous égaux devant Dieu car il ne voit en nous que sa propre Lumière. Vous n'avez pas à filtrer et censurer vos demandes. Faites-les tout simplement !

Remerciez également Dieu pour la réponse qu'il vous fournira même si vous ne l'avez pas encore entendue. Appelez cela appréciation, gratitude, foi, peu importe. Une telle attitude permet de demeurer ouvert et donc d'accueillir la réponse recherchée dans un futur plus ou moins proche. Dieu répond à toutes les demandes.

Si cela ne fonctionnait pas ?

Parfois, il est nécessaire de faire plus d'une requête afin d'obtenir le soulagement désiré.

Alors que j'éprouvais de la difficulté à faire face à une infortune sentimentale, j'ai demandé l'aide de Dieu..., sans résultat. Je lui ai alors adressé une seconde requête, différente de la première. Je l'ai prié de m'aider à entendre ce que je ne voulais pas entendre. La réponse m'a confondue... Étant jeune, j'avais décidé, que je n'étais pas aimée mais, en réalité, c'était plutôt moi qui ne m'aimais pas. Par la suite, j'ai reproduit cette façon de voir les choses dans ma vie sentimentale. Cependant, j'attendais toujours de rencontrer l'âme soeur au niveau amoureux. Et zut... elle ne venait pas ! Alors, j'ai demandé à Dieu de me donner les raisons de cette situation. Sa réponse fut que je devais apprendre à vivre entièrement au présent et à y être heureuse, sans me préoccuper du passé ou de l'avenir. Finalement, j'ai été soulagée de ma souffrance, c'est-à-dire de ma déception amoureuse, mais aussi du sentiment d'injustice à mon égard car je comprenais davantage la raison de ce que je vivais.

Peut-être auriez-vous aimé avoir accès à une longue liste de souhaits déjà formulés et éprouvés à l'avance. Bien sûr, cela faciliterait la tâche mais, ne créerait pas un lien vivant entre vous et Dieu. Des prières et rituels à répéter pourraient devenir les barreaux d'une prison, la vôtre, le coeur n'y étant pas. En effet, l'ego est friand de recettes en tout genre, de processus à respecter, etc. C'est le phénomène d'égarement que nous retrouvons dans maintes religions et mouvements spirituels lorsque les rituels et prières sont perçus comme une finalité plutôt que comme un soutien à l'expression du coeur.

Dans cette optique, les enseignements recommandent la vigilance face à Dieu et non à l'ego. Ceci peut sembler étrange puisque je vous entretiens fréquemment des pièges de l'ego. Souvenez-vous que c'est en vous ouvrant à Dieu qu'il vous est possible de faire la différence entre Dieu et l'ego. Encore là, vous pouvez demander à Dieu de vous aider à vous ouvrir à lui.

Donnez-vous du temps pour dénouer des situations. Certaines se démêleront rapidement tandis que d'autres prendront l'espace d'une vie et dans tous les cas, étape par étape. Aussi, faites preuve de patience en ce qui concerne l'aide de Dieu.

N'attendez pas d'être parfait pour faire vos demandes, d'avoir le coeur ou les intentions les plus purs sur terre ou je ne sais quelle raison encore. Exercez-vous ! C'est la meilleure façon d'apprendre !

En résumé, la spiritualité, c'est de la psychothérapie avec Dieu comme guide principal ou thérapeute.

Les résultats de la guérison

La guérison passe par l'évolution de la conscience. Ses résultats se divisent en deux grandes catégories :

- *un meilleur état émotionnel ;*
- *des changements positifs au niveau de soi, de la famille, du travail ou encore de notre vie en général.*

L'évolution de la conscience est un élément difficile à décrire. Je préfère donc vous en donner un exemple - Ressentant une vive colère en moi, j'ai demandé l'aide de

Dieu, cela après plusieurs heures d'attente en raison de l'effet de mon humeur massacrante du moment. On m'a montré que je percevais la vie comme étant difficile. Dans le passé, je m'étais répété à maintes reprises " La vie est dure " sans me rendre compte que c'était une croyance à laquelle je m'accrochais obstinément. Pour la première fois, je réalisais qu'il ne s'agissait que d'une conviction. J'ai alors décidé de la mettre de côté et d'en choisir une autre, améliorant par le fait même mon état émotionnel. Était-ce vraiment Dieu qui m'a répondu ? Peut-être que oui, peut-être que non mais comme je l'ai déjà mentionné, il faut juger par les résultats. Je suis devenue plus positive, sans que cela me cause le moindre dommage pas plus qu'aux autres d'ailleurs, chacun conservant sa propre liberté. Alors, cela devait être lui.

Une telle évolution permet un meilleur contact avec notre véritable nature qui est, rappelons-le, divine. Nous sommes davantage en mesure d'exercer notre fonction de co-créateurs avec Dieu lui-même. C'est l'enracinement en action.

Pour certains, les évènements conduisant à cette évolution ne sont que le fruit du hasard. Par contre pour d'autres, ils ont été déterminés à l'avance, avant notre naissance, selon le principe de la réincarnation. Suivant cet axiome, lorsqu'une vie s'achève, l'individu naît à nouveau afin de poursuivre sa route vers l'illumination, c'est-à-dire vers Dieu. Il a donc à nouveau la possibilité de se libérer de son ego et donc des croyances et maux qui le composent.

Selon les théories de la réincarnation, le tracé de la vie future d'un individu est déterminé par son âme qui tient compte, entre autres, des éléments suivants :

- *des apprentissages à effectuer ;*
- *de son mode d'apprentissage ;*

- *de ses vies passées en termes d'habiletés développées et de son karma, c'est-à-dire du retour de ses actions passées, bonnes ou mauvaises.*

À travers notre vie, nous sommes amenés à expérimenter diverses situations ; les plaisantes, permettant de nous ressourcer ou de nous soutenir et les déplaisantes, visant à faire émerger en nous ce qui relève de l'ego afin de l'éliminer. Et finalement, à vivre l'Amour avec un grand A.

Aucune comparaison n'est possible entre deux tracés de vie même si à première vue, ils semblent identiques :

- *Deux personnes bénéficient de temps. La première est ainsi amenée à calmer une nervosité très présente en elle, la deuxième à se rendre compte qu'être oisif n'est pas un mal en soi.*

- *Deux personnes éprouvent des difficultés à leur travail. La première a ainsi l'occasion d'apprendre à communiquer et à collaborer avec ses collègues, la deuxième à s'affirmer davantage ce qui l'amènera à quitter l'entreprise pour laquelle elle travaille.*

De plus, la prudence est de mise dans l'interprétation d'un tracé de vie puisqu'un bonheur peut cacher un malheur et vice versa.

Dans les faits, chacun a sa propre mission personnelle ; il n'y a donc pas de bon ou de mauvais tracé. Il n'y a que celui d'une vie, déterminé à nous faire cheminer vers Dieu ou l'Amour et comme dans toute vie, il y aura des réussites et des échecs par rapport à cette mission.

Éléments de la guérison créatrice

Attitudes

Volonté de se guérir

Ouverture à ce qui existe au delà des apparences

Acceptation, non-résignation et appréciation de ce qui est vécu

Reconnaisance d'être le maître de sa vie sans culpabilisation de soi

Processus

1. Reconnaître la souffrance

2. Accueillir la souffrance sans s'y identifier

3. S'en remettre à Dieu

Résultats

Évolution de la conscience qui se traduit par un meilleur état émotionnel et des changements positifs au niveau de soi, de la famille, du travail et de la vie en général

Comportements

Dialoguer avec l'ego ou avec Dieu

Utiliser des chemins et moyens de guérison

Chapitre 10

Balthazar, mon amour

Balthazar, c'est mon chat.

Aussi loin que je remonte dans mon enfance, il y a toujours eu des chats autour de moi. Chez mes parents, il y avait aussi une chienne, Coquine. Lorsqu'elle est partie, elle n'a pas été remplacée, mais les chats sont demeurés. J'aime bien les chiens, mais j'ai une préférence marquée pour les félins en général.

On ne domine pas un chat, on cohabite avec lui. Un chat s'attache non pas à son maître mais à son environnement. S'il demeure donc avec ce dernier, c'est pour la commodité. Si ce maître arrête de le nourrir et de prendre soin de lui, il ira chez le voisin. Il est vrai que le chat fait passer ses besoins avant toute chose mais, je suis persuadée qu'il fait également preuve de loyauté et d'affection. En fait, Balthazar me le prouve bien, ce que d'ailleurs des documentaires sur les chats soulignent.

Ma rencontre avec Balthazar

J'ai connu Balthazar alors que je suivais un atelier dans une maison privée située dans le sud du Québec. Les trois chattes de la maison ont mis bas presque en même temps et Balthazar a été le premier de la première portée, le premier à suivre les trois mères hors de l'enclos où ils étaient tous cantonnés, le premier à sauter la clôture dudit enclos.

Tigré noir et caramel, il est à mes yeux tout simplement magnifique. Il a attiré mon attention dès notre première rencontre. J'étais partie avec l'idée d'adopter deux chattes et non un chat et une chatte. Mais dès que son nom m'est venu à l'esprit, je n'ai plus hésité et c'est alors que je suis tombée follement amoureuse de lui ! Aujourd'hui, je l'aime toujours autant, même s'il se transforme parfois en petite peste ! Mais, j'en suis partiellement responsable puisque je l'ai bien gâté tout comme d'ailleurs sa demi-soeur Coquette.

Voyez-vous, le chat paraît à sa naissance comme une petite bête fragile nécessitant protection. Mais il n'en est rien... Il connaît déjà par coeur la Charte des Droits et Libertés des Minous où le mot devoir ne semble pas avoir de place. De par sa nature, le chat est un boss, un estomac sur quatre pattes et une manufacture à ronrons. D'ailleurs, sa devise préférée est " Pourquoi avoir des difficultés quand on peut les éviter ? " Toujours est-il que si vous n'y prenez garde, vous vous retrouvez à son service plus ou moins rapidement et c'est ce qui m'est arrivé.

Je fonds littéralement en présence de mon animal préféré. Peut-être parce que, à la manière des enfants, il n'a pas cette espèce de carapace qui se construit avec le temps et qui oppose une barrière entre lui et les autres. Tour à tour, Balthazar devient affectueusement " mon gros paquet de poils ", " mon trésor à quatre pattes ", " mon grand garçon minou ", " mon trésor à mélasse ". Ne me demandez pas l'origine de ce dernier surnom ! J'ignore tout de la relation qui pourrait exister entre un chat et de la mélasse ! On dit que le coeur a ses raisons que la raison ignore. Depuis son plus jeune âge, mon trésor à quatre pattes ne se refuse aucune affection, qu'elle provienne de moi ou de quelqu'un d'autre. D'ailleurs, il a compris depuis longtemps que ce qui importait dans la vie c'était l'amour. Je lui offre gîte et couvert, ce qu'il accepte de gaieté de coeur. Il apprécie la laine de mes couvertures, le confort de ma chaise rembourrée et de mon sofa. Somme toute, il se sent tellement bien à la maison qu'il l'a définitivement adoptée.

L'animal comme source d'apprentissage

Si les ateliers de croissance personnelle, de psychologie et de spiritualité ne vous intéressent pas, ne vous en faites pas, vous pouvez évoluer à l'aide de votre animal préféré ! L'apprentissage est garanti pour autant que vous preniez le temps de vous observer !

Nous recherchons généralement chez les animaux les qualités que nous privilégions. Quand j'ai rencontré Balthazar, il grimpait partout sans se faire prier. Il débordait de dynamisme. Coquette, quant à elle, se traînait déjà à deux semaines, même si c'était de peine et de misère, mais quelle volonté ! C'était bien sûr mon interprétation de leur comportement à ce moment-là. Le dynamisme que je percevais chez Balthazar était considéré par une autre participante de l'atelier comme de l'agressivité. Un même comportement peut générer deux interprétations différentes.

Sans doute ne suis-je pas très objective quand il s'agit de Balthazar et de Coquette. C'est souvent le propre d'une passion ! Vivre une passion, n'est-ce pas fantastique ? Balthazar et Coquette sont ma passion, ils sont les enfants que je n'ai jamais eus. Alors j'en ai pris un soin sans pareil ; rien n'était trop beau pour eux ! Nourriture sèche de la meilleure qualité, lait spécifiquement conçu pour les chats et même boîtes de viande à chats bio. Je n'aurais jamais voulu que mes petits manquent de vitamines. Sans compter l'affection que je leur donnais et la délicatesse avec laquelle je les déplaçais pour ne pas les brusquer ou leur faire peur. C'est seulement un an plus tard que je me suis rendu compte que j'étais à leur service !

Je ne refusais rien ou presque à mes chats, au mépris de tout bon sens. En fait, ce n'était pas une question de raisonnement, c'était tout simplement comme cela. Il en est de même pour tout sentiment qui émerge de nous, d'où l'importance de demeurer ouvert à ce qui est et non à ce que nous voulons que ce soit.

Mais l'histoire ne s'arrête pas là. Jusqu'à l'âge d'environ un an, ils se collaient à moi et recherchaient ma présence. À un an, je crois qu'ils sont devenus des adolescents ! Ils sortaient le soir et je leur disais en riant " C'est cela. Allez faire les bars à chats ! ". Mais dans mon coeur, cela voulait dire " C'est cela ! Vous me laissez toute seule ! ". Je me sentais comme le parent qui, à regret, voit sa progéniture prendre son envol et se sent abandonné.

Un jour, Balthazar a disparu. Par cet événement, la vie me montrait que mon bonheur reposait sur Balthazar. En le perdant, j'avais perdu le bonheur et je me retrouvais face à un vide. C'était comme si on m'avait tout enlevé. Je dis bien tout, absolument tout. Mais les jours ont passé et alors que je commençais à me détacher de cet événement,

Balthazar est revenu. Il était heureux, la maisonnée aussi. Et il sentait bon, le bon pin frais.

En plus d'être beaux, gentils et gracieux, je suis convaincue que Balthazar et Coquette ont été placés sur mon chemin afin de me faire comprendre des éléments de ma vie.

Ainsi, il arrive qu'un parent ressente des affinités particulières avec l'un de ses enfants, sans pour autant favoriser ce dernier au détriment d'un autre. Ces affinités ne se raisonnent pas. J'ai toujours préféré Balthazar à Coquette, sans trop savoir pourquoi ou peut-être à cause de ces fameux atomes crochus. Je n'en aimais pas moins Coquette, mais elle était différente. Un jour alors qu'elle était toute jeune, celle-ci n'est plus revenue à la maison et je ne saurai probablement jamais pourquoi il en a été ainsi.

Il ne faut pas nécessairement se fier aux apparences quant à la nature d'un individu. Coquette me faisait penser à de la porcelaine, ce qui ne laissait pas présager une nature des plus combatives. Heureusement pour elle car Balthazar, jaloux de l'affection que je lui portais, lui sautait dessus dès qu'elle s'approchait de moi. Mais elle ne s'en laissait pas pour autant imposer et, un jour à ma grande surprise, je l'ai vu planifier et réaliser un vol plané en califourchon sur son demi-frère. Sa véritable nature se cachait donc derrière une apparence à la fois de délicatesse et de fragilité.

Il est normal d'avoir des besoins et nous n'avons pas à en avoir honte. Balthazar, en bon chat qu'il est, pousse très loin l'impertinence en cette matière. Je lui offre la meilleure nourriture sur le marché mais ça ne l'empêche pas de prendre le temps de la flairer afin de s'en assurer. S'il croit pouvoir bénéficier d'une autre bonne occasion, il me la réclame en miaulant comme s'il n'avait jamais mangé de sa vie ou encore comme si je l'avais acculé à la famine. Toujours dans la même perspective, je lui ouvre la porte. Réjoui, il se précipite vers l'ouverture mais en cours de route, se laver devient soudain plus important. Que la porte soit ouverte lui importe maintenant peu puisqu'il a décidé de faire sa toilette. Le moins qu'on puisse dire, c'est qu'il est en contact avec ses envies non pas à la minute mais à la seconde près, seul le moment présent comptant pour lui.

Finalement, lorsque la vie m'est apparue morne, Balthazar a toujours été là pour me dire qu'elle ne l'était pas. Il va dehors, il est heureux. Il rentre à la maison, il est heureux. Il me semble même qu'il rit quand il dort. À sa façon, il me parle de joie. Il disparaît pour réapparaître soudainement en me faisant des " Brou... miau ... " comme s'il jouait à cache-cache. Et il assume admirablement bien sa fonction de minou en poursuivant papillons et oiseaux, en grimpant et sautant dans les arbres.

L'arrogance de l'être humain

Aimant les animaux, j'ai de la difficulté à comprendre les gens qui désirent les éloigner, c'est-à-dire ne transformer leur environnement qu'à leur seule convenance. On m'a parlé de certains d'entre eux qui ont un joli jardin, agrémenté d'arbustes fruitiers et de mangeoires d'oiseaux dont les chants les ravissent. Vivant à la campagne, ils cohabitent donc avec une faune domestique, tels des chats et des chiens, et une faune sauvage, tels des marmottes, des ratons-laveurs, des porcs-épics, des scarabées et autres qu'ils prennent immédiatement en grippe ! Quand un chat est trop attiré par leur magnifique jardin, ils s'en plaignent à leur propriétaire, les menacent de poursuites et invoquent les règlements municipaux s'ils n'empêchent pas leurs propres chats d'aller dans leur jardin (non clôturé) ! Ils ont modifié leur environnement pour le rendre conforme à leurs normes, mais ils ont oublié, dans leur outrecuidance, qu'ils ne pouvaient pas modifier la nature instinctive des animaux.

Ils ne sont qu'un exemple de la morgue dont nous pouvons faire preuve à l'égard de notre milieu. Nous, et je m'inclus, consommons sans nous soucier de la pollution engendrée. Nous achetons des produits non biodégradables tels des désinfectants et détergents, des herbicides, des insecticides, des pesticides au lieu d'utiliser des substituts moins dommageables pour la nature ou d'accepter simplement que nos pommes soient un peu piquées ou nos terrains moins verts. Nous utilisons de la peinture toxique, sans systématiquement en récupérer les restes de façon sécuritaire. Nous roulons dans des véhicules de plus en plus polluants, comme si cela allait de soi de vicier l'air ambiant. Nous employons des machines pour ramasser les feuilles mortes sans nous soucier de leur bruit irritant. Sans être extrémiste en la matière, je pourrais facilement citer d'autres exemples de ce mépris humain. Mais je n'irai pas plus loin. Mon but est simplement de susciter une réflexion concernant notre place sur la terre et l'usage que nous en faisons.

Pourquoi nous soucions-nous si peu de notre environnement ? Pourquoi l'endommageons-nous ainsi, sans égard pour sa flore, sa faune et ses réserves naturelles ? Nous en soucier, nous rappellerait-il que nous ne sommes pas les seuls maîtres sur terre, nous choquant ou nous insécurisant par le fait même ? Pourtant, il est possible d'établir une alliance entre la nature et nous. À ce propos, je vous conseille de lire *Le Jardin de Findhorn*[23].

Nous considérons-nous comme étant la seule forme d'intelligence sur terre ? Mais au fait, qu'est-ce que l'intelligence ? La nature en serait-elle dénuée, parce qu'elle ne communique pas avec nous à notre façon ? Un jour où je travaillais, j'ai senti derrière moi une présence. Il n'y avait personne sauf Balthazar qui du patio me fixait. Je l'ai appelé. Il n'a pas bougé. Alors, je suis allée vers lui pour le voir s'éloigner de moi, et aller se frotter sur les roches concassées de l'entrée. Sur le dos et les pattes en l'air, il voulait que je le caresse dans cette position mais seulement à cet endroit. C'est d'ailleurs un de ses plaisirs favoris ! Il a réussi à sa façon à me communiquer son besoin, ce qui à mon avis est la preuve d'une grande intelligence. Certes, elle n'est pas intellectuelle mais elle existe quand même.

La nature nous enseigne à sa façon. En regardant une émission de télévision sur un groupe de lions, j'ai vu la plus âgée et expérimentée être blessée mortellement au cours d'une chasse. Abandonnée par les siens, elle s'est éteinte au pied d'un cours d'eau alors que les autres membres de sa tribu continuaient tout simplement leur vie. Loin de moi de suggérer l'abandon des personnes âgées à leur sort bien entendu, mais n'est-il pas mieux, à l'image de ces animaux, qu'au lieu de ruminer nos malheurs, nous allions dans le sens de la vie plutôt que de la mort ? Qu'en pensez-vous ?

Je ne suggère pas de renoncer à notre vie actuelle ou de nous culpabiliser par rapport à celle-ci, mais plutôt de nous questionner individuellement sur les attitudes et comportements que nous pouvons améliorer dans la mesure de nos moyens. Chaque action, si petite soit-elle, compte. Chacune est un vote pour tous, pour tous les êtres de la terre et pour la nature.

Si nous nous y mettons tous, nous pourrions être surpris de la rapidité des changements. J'ai déjà donné l'exemple des savons biodégradables. Il y a peu de temps, les légumes biologiques n'étaient disponibles que dans les magasins d'alimentation naturelle ; aujourd'hui on les retrouve dans les grandes surfaces puisque maintenant de nombreux consommateurs en demandent. Même si vous n'achetez qu'un seul aliment biologique ou produit biodégradable régulièrement, vous établissez une différence au niveau de votre vie et de celle des autres. Idem en ce qui concerne l'économie d'eau, le recyclage et l'utilisation de l'automobile. Pourquoi pas le co-voiturage ou encore l'adoption d'un mode de vie communautaire ?

Comptez aussi sur la nature pour vous donner des leçons. Bien sûr, si vous savez les écouter ! Un jour que je me rendais à Québec, en frôlant la limite de vitesse, j'ai remarqué un groupe de corneilles bien en ligne sur un fil. J'ai eu alors l'étrange impression qu'elles nous observaient, nous les êtres humains, courir comme des malades, sans nous arrêter. Peut-être suis-je folle moi-même d'avoir tiré une telle interprétation de cet événement ? Sans doute, mais ces corneilles n'ont-elles pas raison ? À vous d'en juger !

L'humanité des animaux

Les animaux seraient-ils plus humains que nous ?

Ils prennent le temps de vivre.

Sous leurs airs d'indifférence, ils sont de grands philosophes qui nous dispensent de mots. Ils ne foncent pas à travers leur vie, ils ne courent que pour assurer leur survie. Ils ne galopent pas après mille et un objectifs superflus et n'en sont pas malheureux, au contraire ! Ils sont en paix avec eux-mêmes. Pouvons-nous en dire autant de nous ?

Ils nous obligent à revenir à l'essentiel, c'est-à-dire à l'existence en nous. Le monde actuel ne nous permet pas de vivre au même rythme qu'eux. Mais nous pouvons tout de même nous inspirer d'eux en prenant davantage le temps de vivre.

Ils savent s'amuser.

Balthazar adore s'étendre sur mes papiers pendant que je travaille. Il a même participé à l'écriture de ce livre. Tenez ça " mmmmmmmmmmmmmmmmmmmmmmmmmmm ", c'est lui. On peut dire qu'il a de la suite dans les idées, n'est-ce pas ?

Au début, Balthazar me dérangeait, aujourd'hui, je trouve qu'il m'aide à sortir de mon travail qui, dans mon cas, est exclusivement intellectuel. Il me permet de me changer les idées, de faire un arrêt salutaire au niveau de l'écriture. Je reprends mon labeur davantage reposée, après avoir quitté mon écran d'ordinateur et m'être dégourdi les jambes en jouant avec lui.

Il joue à la manière des enfants, entièrement absorbé dans sa tâche. Je lui lance des boules de papier qu'il essaie d'attraper. Il fait alors de ces bonds dans les airs ! Ou, d'autres fois, il s'installe sur le bras d'un de mes sofas. Puis, comme un joueur de base-ball, il les frappe avec sa patte. D'ailleurs sa moyenne au bâton est assez bonne. Après cela, il se fatigue et va se coucher.

Aujourd'hui je reconnais ne pas avoir assez joué dans ma vie, non seulement comme enfant mais également comme adulte, ce qui a engendré en moi de l'insatisfaction. Actuellement par diverses actions, je vise à déraciner cette habitude malsaine et ainsi remédier à cette situation.

Ils nous permettent aussi d'établir une communication avec nos congénères !

" Oh, le beau chat ! " se sont exclamés certains. Il faut que je vous dise que Balthazar est un minou-pitou. En effet, il m'accompagne dans mes marches. Grâce à lui, j'ai pu connaître plusieurs de mes voisins... qui l'adorent. J'ai ainsi appris qu'il avait bien des amis dans le coin tel le petit chien blanc d'une voisine. Quelle surprise pour celle-ci de découvrir Balthazar dans sa maison aux côtés de son chien, partageant le bol de celui-ci et dormant avec lui. J'ai alors compris pourquoi malgré ses longues sorties, il mangeait et dormait peu. Il s'était fait un ami dans le voisinage.

Les propriétaires d'animaux vous diront combien de conversations ils ont liées avec des gens de leur quartier grâce à leur animal de compagnie. Faisant l'objet de nombreuses discussions, ils aident même aux échanges entre les membres d'une même famille en y apportant de la chaleur humaine.

Ils nous permettent aussi de rester humains
dans le sens noble du terme !

Pour approcher un animal, il faut être doux et gagner sa confiance. Afin de les apprivoiser, il faut faire preuve de patience, être tolérant et compréhensif face à leur différence. Ne devrions-nous pas en faire autant avec nos proches ?

Ainsi si je vous ai parlé de Balthazar, c'est que non seulement, je l'aime mais aussi je crois que nous avons beaucoup à apprendre de la nature. De plus, nous ne survivrons pas à sa destruction. Qu'en pensez-vous ?

Chapitre 11

Conseils et astuces pêle-mêle

Les moyens proposés dans ce chapitre concernent divers sujets occupant nos conversations terrestres. Leur variété permet à un individu de tenir compte de sa personnalité, tout en assurant son évolution. Ils constituent un coup de pouce utile au niveau de son cheminement.

Lors de l'utilisation de ces moyens, l'apport et le soutien de professionnels ne sont pas exclus car, autonomie et solitude ne riment pas nécessairement ensemble.

Que vous ayez déjà adopté une voie ou non, le but est d'accroître votre bien-être tant intérieur qu'extérieur. Ces outils favorisent votre avancement que certains qualifieraient de spirituel, vocable à la fois, fort utilisé et méconnu.

Moi-même, pourtant si habituée à côtoyer ce milieu, si je n'avais cherché dans le dictionnaire sa signification exacte, j'aurais éprouvé des difficultés à le définir de façon précise. Ainsi, selon Le Petit Robert [24], ce terme se rapporte, à un niveau philosophique, au souffle divin ou à l'âme, entité vivante bien que sans forme et indéfinissable. Aussi, au niveau du quotidien, il est associé à un esprit vif, amusant, aiguisé ou malicieux. D'ailleurs, l'expression un esprit brillant reflète bien cet usage courant. Il peut tout aussi bien faire référence à l'ego qu'à Dieu, ceux-ci s'exprimant tant à un niveau intellectuel, émotif que physique. J'en suis donc arrivée à la conclusion que tout est spirituel.

Connaissance de soi à de multiple niveaux

La nécessité de comprendre qui je suis ne m'est apparue qu'après maintes expériences de vie. En me connaissant mieux, j'ai pu prendre de meilleures décisions. En effet, en tenant compte de mes besoins particuliers, j'ai évité des détours et des erreurs.

1.Méthodes intellectuelles

Je suggère deux méthodes, soit l'ennéagramme [25] et la grille de fonctionnement personnel [26].

Elles ont pour avantage non seulement de vous indiquer vos principales qualités mais aussi les difficultés propres à celles-ci. À la limite, elles aident à comprendre et à accepter les autres. Ainsi à titre d'exemple pour une personne, le meilleur moyen de se ressourcer est de ne rien faire alors que pour une autre, c'est en restant active qu'elle y parvient. Le comportement de l'une n'est pas meilleur que celui de l'autre mais, la compréhension de leurs façons d'être respectives peut leur éviter certaines frictions.

L'ennéagramme

Conçu par Pythagore, l'ennéagramme définit neuf types de personnalités, libellées comme suit :

- *l'accomplisseur ou le perfectionniste ;*
- *l'altruiste ou l'aidant ;*
- *le battant ;*
- *l'individualiste ou le tragico-romantique ;*
- *l'observateur ;*
- *le loyaliste ou le gardien ;*
- *le rêveur ou l'épicurien ;*
- *le confronteur ou le chef ;*
- *le préservationniste ou le médiateur.*

À ces neuf personnalités sont associés :

- *un type d'intelligence intellectuelle ou mentale, affective ou relationnelle, créatrice ou instinctive ;*
- *des types de blessures par rapport à la confiance, à l'espoir et à l'amour ;*
- *des forces et des faiblesses en matière d'attitudes, d'habiletés et de comportements.*

La configuration des personnalités de Pythagore suggère des compétences particulières menant au choix d'emplois les requérant et permet également de comprendre les affinités ou les conflits possibles entre elles.

Je suis personnellement une observatrice. Ma tendance principale est donc d'adopter la position de témoin par rapport au monde. Cette qualité m'a permis de relativement bien supporter une situation familiale qui m'obligeait à l'être, et d'effectuer en entreprise divers projets exigeant analyse, recherche et écoute. J'ai cependant les défauts de cette personnalité. Ainsi, sans que je m'en aperçoive, je me suis coupée du monde dans lequel je vivais. J'ai donc dû apprendre à m'y réintégrer sans pourtant perdre de vue qui j'était.

La grille de fonctionnement personnel

Cette méthode, davantage visuelle que la précédente, coupe le souffle quant à sa précision. L'individu est représenté sous la forme d'un arbre aux diverses couleurs ; ses racines correspondent à sa nature profonde, son tronc à son ego ou l'image offerte aux autres, son feuillage à sa personnalité, ses fruits à ses talents. Par cette méthode, une personne en vient à comprendre davantage ses conflits tant intérieurs qu'extérieurs ainsi qu'à voir plus clair dans ses forces et sa vie.

Cette grille m'a permis de raffiner ma propre perception en me redéfinissant comme journaliste, bien que je n'exerce pas ce métier. Cela m'a expliqué pourquoi dès le plus jeune âge, tout ce qui avait trait aux documentaires et nouvelles m'attirait.

À partir de là, j'ai pris davantage conscience de qui j'étais. Ainsi à l'instar des animaux, c'est-à-dire de mes racines, je vis et décide au moment présent, sans grande planification. Mais l'image que je projetais et à laquelle j'avais adhéré me portait à m'adapter à ce qui m'entourait, famille ou société, largement organisées. J'ai pu ainsi mieux comprendre ma détermination à sortir des sentiers battus et à aller vers un travail autonome qui me laissait libre de décider de façon spontanée de mon temps. M'acceptant davantage, j'ai accédé à une plus grande paix intérieure.

2. Méthodes émotionnelles

Ces méthodes visent un relâchement des sentiments ou émotions et à partir de là des croyances les ayant générés.

L'écriture

Cette méthode est excellente pour aider à clarifier, à peu de frais, votre état émotionnel et conséquemment mental. Je l'ai adoptée à un moment de ma vie où, happée par des émotions que je n'arrivais pas à démêler, je devais prendre une décision par rapport à la situation qui les avait provoquées.

Il s'agit ici simplement d'exprimer par écrit, en un minimum de trois pages, au lever, tout ce qui vous vient à l'esprit. C'est à cette période de la journée où théoriquement une personne est moins happée par diverses préoccupations et en obtiendra les meilleurs résultats. Par contre, ce n'est pas nécessairement le cas de tous lorsque, entre autres, enfants et conjoints requièrent, à juste titre, votre attention. Je vous suggère dans ce cas d'utiliser cette méthode au moment qui vous convient le mieux, par exemple le soir avant de vous coucher alors que les exigences de la vie sont réglées. Vous en obtiendrez quand même de bons résultats.

L'important, c'est de rédiger sans arrêter, sans analyser, afin de court-circuiter toute logique mentale. Si vous manquez d'inspiration, remplissez tout de même les trois pages réglementaires, quitte à répéter, soit les mêmes mots ou phrases, ou encore faites du coq-à-l'âne et écrivez sur un ensemble de sujets disparates. Vous pouvez également noter le mot rien, rien et rien. C'est un exercice de lâcher prise où les fonctions d'analyse et de révision sont inactives. Donc, écrivez tout ce qui vous passe par la tête.

Attendez-vous à ce que cet exercice devienne un excellent exutoire à la colère, la frustration, la peur ou encore qu'elle permette l'émergence de prises de conscience. En effet, cette façon d'agir favorise une conscientisation et une verbalisation des ressentis existants soit durant la pratique ou après celle-ci.

J'ai souvent utilisé cette méthode, je l'ai même aussi oubliée, pour mieux y revenir. Grâce à elle, j'ai exprimé, entre autres, de la colère, de la culpabilité, de l'insécurité financière ainsi que l'envie de dormir afin de ne plus ressentir ces sentiments. Ce faisant, j'ai pu m'accepter davantage avec mes qualités et mes défauts ainsi que l'ambiguïté reliée au changement de carrière auquel mon désir d'écrire me porte. En prime, j'ai trouvé une joie de vivre qui m'avait échappé. Dans un tel exercice, il y a eu de nombreux moments où j'ai carrément déparlé, où j'ai écrit des choses impensables et que je n'oserais même pas divulguer !

La capacité à conscientiser et à verbaliser n'est pas fonction de votre talent en composition. Donc, pas besoin d'être un expert en rédaction, en syntaxe et en grammaire ! Laissez-vous aller sans vous préoccuper de la prose ni du style. L'écriture devient plutôt un moyen en lui-même, une façon de donner congé à votre logique mentale et de l'envoyer se promener.

Vous pouvez également choisir une autre forme d'expression. Si vous préférez dessiner, allez-y, même si cela ne consiste qu'à faire des traits sans queue ni tête sur une feuille de papier. Vous pouvez aussi colorier, faire du découpage et du collage, etc.

Ne vous souciez pas de la qualité artistique de votre production ni de celle des autres par rapport à la vôtre. Utilisez simplement le moyen qui vous convient le mieux et évaluez-en les résultats concernant votre avancement. Le moyen d'expression choisi n'est là que pour vous aider à faire émerger ce qui est en vous, soit passer de l'inconscient au conscient.

Une fois le texte écrit ou toute autre production achevée, vous pouvez vous en défaire comme bon vous semble. Certains, dans le but d'exorciser son contenu, le déchirent en petits morceaux ou le brûlent. Cependant, rien ne vous oblige à vous en départir d'une façon spécifique. Par contre, il est parfois nécessaire de répéter l'exercice choisi afin d'obtenir des résultats qui se produiront soit durant son déroulement ou plus tard.

Traitements de re-balancement énergétique

Ce sont des traitements que l'on peut, soit se donner soi-même ou recevoir. Ils agissent sur le corps afin d'en faire sortir des tensions connues ou non. Ils opèrent sur votre énergie, la débarrassant de contractions indésirables pour autant bien sûr que vous les relâchiez afin de faire remonter à la surface les croyances à leur source.

Il existe un grand nombre de traitements de re-balancement énergétique. J'ai utilisé les suivants :

- *Traitement à se donner soi-même : les exercices de pilier [27] ou de Qi spontané [27]. Le premier des deux vous permet de parcourir avec vos mains votre propre structure énergétique, le deuxième de vous ouvrir par un rituel spécifique à une énergie de guérison tout en vous laissant guider par elle, en autant nécessairement que vous le vouliez bien.*

- *Traitement à se donner à soi-même et à recevoir : le Reiki [28]. Il consiste en l'imposition des mains, apportant ainsi de l'énergie à des endroits précis du corps.*

- *Traitements que l'on peut recevoir : harmonisation énergétique [29], restructuration énergétique [28], l'acupression ou Jin Shin Do [30, 31] ainsi que le massage thérapeutique de type Shiatsu [30]. Tous ces soins agissent sur l'énergie, c'est-à-dire sur les méridiens ou lignes d'énergie, sur les chakras du corps ou roues d'énergie ou sur différentes parties du corps.*

Attendez-vous, à ce que votre corps s'ajuste au re-balancement énergétique. Afin de faciliter cette adaptation, certains prévoient une période de repos. Quelle façon agréable de prendre soin de soi !

Dans certains cas, la guérison sera rapide, dans d'autres, moins. Les tensions émergent graduellement et il est possible que vous ne puissiez pas immédiatement les identifier et les relâcher. Il vous appartiendra de juger, dans ce processus d'avancement personnel, si le malaise que vous ressentez dépasse vos limites personnelles, auquel cas vous y remédierez soit en espaçant soit en cessant, temporairement ou non, les cures choisies.

Avec la pratique et le temps, les thérapeutiques de rebalancement feront émerger de votre corps des masses énergétiques indésirables, soit des sentiments ou émotions et leurs croyances associées. Ces masses sont aussi physiques que la matière et freinent la circulation adéquate de votre énergie. Ce faisant, elles peuvent entraîner, d'après la spiritualité, des maladies autant bénignes que graves.

3. Méthodes physiques

Le corps ne peut être ignoré dans une démarche spirituelle parce que personne ne peut opérer sans lui. Il peut être comparé à une voiture qui a besoin d'entretien et de réparations. Il apporte satisfaction mais aussi désespoir quand il ne fonctionne pas correctement.

Et je peux vous affirmer que c'est vrai ! Je souffre d'hypoglycémie, c'est-à-dire que mon pancréas élimine trop de sucre du sang, provoquant une baisse d'énergie massive et soudaine. Lorsque je manque de sucre, mon corps en redemande, ce qui ne règle pas le problème. Lorsque je suis dans cet état, plus rien n'a d'importance à mes yeux sauf de me reposer, car je me sens tellement épuisée. C'est particulièrement ennuyeux lorsque je me trouve avec des gens dont j'apprécie la compagnie. J'ai sans doute dû paraître sèche ou rude à certaines occasions car lorsque je souffre d'hypoglycémie, tout me devient intolérable.

Des intervenants en santé affirment qu'une des causes probables, mais non la seule, de la démotivation, de la dépression, du décrochage ou de la délinquance, serait une mauvaise alimentation. À base de sucre rapide ou lent, elle provoquerait de l'hypoglycémie qui entraîne des attitudes ou comportements anti-sociaux. Ainsi, cette maladie a provoqué chez moi de nombreux mouvements de démotivation et de dépression. Ces derniers m'ont rendu la vie difficile, sans pour autant m'enlever la responsabilité d'en supprimer les causes (maîtrise de ma vie), pas seulement les symptômes (contrôle de ma vie). Je sais maintenant que je dois éviter autant que possible le sucre sous toutes ses formes et aussi contrôler mes humeurs.

Il y a de cela bien des décennies naissait un courant de pensée affirmant que les causes des malaises physiques seraient d'ordre psychologique. Les maladies qui en découlent sont qualifiées de psychosomatiques. Cette doctrine est particulièrement dérangeante puisqu'elle remet au patient la responsabilité de sa maladie à laquelle il ne veut pas s'identifier car ça lui demanderait de se prendre davantage en charge.

Je suis d'avis que nombre de maladies sont d'ordre psychosomatique. J'ai constaté que ma santé s'améliorait au fur et à mesure que mon état émotionnel passait de négatif à positif. Ainsi, des maux dont je souffrais régulièrement tels qu'extinction de voix, grippe, rhume ou congestion nasale ont disparu. L'asthme qui m'affectait a également beaucoup diminué. Je suis en meilleure forme aujourd'hui que par le passé et je me sens davantage fluide dans mes mouvements. Par contre, je ne suis pas prête à affirmer que toutes les maladies répondent à ce critère. Observez vos réactions émotives et physiques par rapport à ce que vous vivez et évaluez le caractère psychosomatique ou physique des maux qui vous affligent.

L'émergence de causes psychologiques qui occasionnent des maladies physiques comporte différents stades, selon le degré d'acceptation de la personne :

- *Le premier stade consiste à ressentir un malaise physique. D'ailleurs, des gens sont surpris de constater que le début de leur démarche de croissance personnelle coïncide souvent avec la naissance de certains malaises. Vous pouvez avoir mal aux intestins sans que ceux-ci ne soient pour autant malades ou souffrir, par exemple, d'irritation, de coliques, de diverticules ou de cancer.*

- *Le second stade correspond à la prise de conscience et à l'acceptation de ce malaise, c'est-à-dire des sentiments et émotions qu'il cache. Ceci entraînera son expansion mais, par le fait même, sa dissolution comme de l'air préalablement comprimé et subissant une décompression. Tout le corps ou une partie de celui-ci se trouve alors sous l'effet d'une vague qui déferle.*

- *Le troisième stade est l'émergence de la croyance qui en est à la source. Les stades 2 et 3 peuvent être inversés. Cependant, la compréhension intellectuelle (stade 3) n'élimine pas pour autant la charge émotive et énergétique responsable (stade 2) et inversement. Il faut donc s'assurer de relâcher le tout. Il se peut, mais c'est plutôt rare, que la tension indésirable disparaisse sans livrer son contenu.*

L'anesthésie des malaises, c'est-à-dire le refus de les ressentir, est un phénomène bien réel. Pour vous le prouver, offrez-vous des traitements de Jin Shin Do, de Shiatsu ou toute autre thérapie dans laquelle les muscles sont travaillés en profondeur. Vous serez surpris de constater que vous n'avez pas si mal aux endroits du corps où vous le pensiez alors que vous avez réellement mal là où vous ne ressentiez auparavant aucune douleur !

Un malaise peut être ressenti sans être émotionnellement accepté. Je vous ai déjà parlé de mon problème de retenue intestinale. J'ai suivi quelques traitements en Shiatsu, je pratique le yoga et j'ai changé mon alimentation du matin. Mon problème s'est ainsi réglé de fil en aiguille, c'est-à-dire en m'amenant étape par étape à la solution qui me convenait. J'en ai conclu que mon refus émotif de ce problème avait érigé un mur entre la solution et moi. De plus, ma recherche a amené des effets secondaires appréciables tels un accroissement de mon énergie et de ma forme physique. J'en suis bien contente car toute ma vie je me suis battue pour ne pas faire d'exercice à l'exception de la marche que j'avais même délaissée, prétendant être trop occupée.

Attitudes positives et trucs correspondants

Le mental souffre facilement d'ennui, alors lui changer les idées en variant les façons de faire, dans ce cas-ci les attitudes, n'est pas à dédaigner. Leur utilité réside dans leur applicabilité, peu importe le moment ou le lieu, contrairement à d'autres moyens.

Adopter des comportements positifs ne doit pas servir à cacher le négatif en vous, celui qui continue d'agir comme un voile par rapport à votre véritable nature qui est divine. Au besoin, des moyens devront être empruntés afin d'éliminer la véritable cause de la fluctuation à la baisse de vos humeurs.

L'adoption d'agissements positifs constitue par contre une aide appréciable afin de contrecarrer l'accumulation de négatif en soi. Par exemple, si perdre votre emploi vous déstabilise, vous angoisse, vous effraie, cherchez dans cette situation des avantages supérieurs à ses désavantages. Cela permet d'adopter un point de vue positif face à la situation et améliorera votre moral, pendant que vous agissez efficacement pour arriver à une solution satisfaisante !

Je vous suggère les attitudes positives suivantes :

1. Dédramatisez ce que vous vivez

Je dramatise, tu dramatises, il... C'est une activité qui a occupé une large partie de ma vie et à l'occasion je m'y adonne encore. Alors que je me questionnais sur la cause d'une telle conduite chez moi, j'ai découvert que la victime en moi s'en nourrissait et s'en régalait.

Lors d'une session de formation que j'animais, un des participants a résumé en quelques mots des siècles de sagesse. Il a dit " Il faut prendre la vie au sérieux sans pourtant se prendre au sérieux ". Une telle philosophie nous enjoint à ne pas prendre à la légère ce qui se passe dans la vie sans pourtant perdre le sens de l'humour, même si ce qui arrive ne nous convient pas.

La nature humaine étant ce qu'elle est, les trucs suivants peuvent venir à la rescousse lorsque cette sagesse se retrouve dans le fond d'un tiroir, bien enfouie on ne sait où. Donnez une importance moindre à ce que vous vivez.

Accordez une valeur de 10 ¢ à ce que vous vivez au lieu de 100 $, soit ; en le visualisant si vous êtes visuel, soit en vous parlant si vous êtes auditif. Il n'y a pas grand monde qui aujourd'hui s'inquièterait d'avoir perdu 10 ¢ alors que ce serait le cas pour une somme supérieure.

C'est une façon comme une autre de se détacher d'éléments perturbateurs. Et alors, vos 10 ¢, vieux comme neufs, revêtiront une utilité jusqu'alors méconnue !

Faites le compte de vos béatitudes

Faites la liste de tout ce que vous avez et non de ce que vous n'avez pas.

La société enseigne malheureusement souvent le contraire. À travers les médias, elle prône l'achat de biens sans lesquels le bonheur est diminué ou même impossible. Elle accorde une grande importance à ce qui brille, à ce qui est dispendieux, énorme, exceptionnel, extravagant, réputé ou spécial. Or, une fois la nouveauté émoussée, le bonheur disparaît du même coup, ego oblige ! C'est la raison pour laquelle d'ailleurs celui-ci est insatiable quant à ses besoins de nouveauté.

Sans ces biens sans cesse renouvelés, il ne vous reste que le pauvre quotidien. Or, ce quotidien est à la base même de votre bonheur. Si vous ne pouvez y être heureux, vous ne pouvez pas l'être, point à la ligne. C'est ainsi que de nombreuses fois, j'ai retrouvé le bonheur en moi en accordant de l'importance à ce qu'il y avait dans mon environnement immédiat : en m'amusant avec mon chat, en m'écrasant dans mon fauteuil favori ou encore en mangeant mon muffin préféré. Revenir à des choses simples, souvent peu coûteuses, est souvent la meilleure des solutions pour être heureux.

Lorsque vous faites le compte de vos béatitudes, donnez une place importante aux éléments de votre quotidien tels que votre tasse préférée ou ce chandail usé mais, tellement confortable. Par la même occasion, pourquoi ne pas apprécier davantage le voisin ou l'ami qui vous a rendu service ? Et tant que vous y êtes, pourquoi ne pas contempler avec gratitude les quelques pissenlits qui ont résisté à vos efforts d'extermination, continuant ainsi à vous illuminer de leurs petits soleils ? Ils vous rappellent que, heureusement, tout dans la vie ne peut être déterminé à l'avance. Celle-ci peut vous réserver des surprises d'autant plus agréables qu'imprévues.

Étudiez les avantages et les désavantages d'une situation

Derrière un malheur se cache parfois un bonheur. Durant l'été 2000, j'ai effectué plusieurs rénovations imprévues à ma maison, qui m'ont entraînée dans un gouffre financier tout aussi inattendu. Tout d'abord des fourmis sont venues me rendre visite en passant par les fenêtres du salon. Un voisin, qui avait pris une bonne bière, m'a dit " Je ne veux pas te faire peur mais il y a probablement un nid de 400 à 500 de ces bestioles à l'intérieur de tes murs " J'ai été prise de panique à cette idée. Il avait fort heureusement tort, car c'était le patio, l'agent porteur du nid. Il m'a donc fallu le faire démonter en faisant appel aux services d'une entreprise spécialisée. Plutôt que de les faire revenir et m'occasionner des coûts supplémentaires, j'ai fait rénover l'entrée. C'est ce moment-là qu'ont choisi mes laveuse et sécheuse pour rendre l'âme, l'installation de nouvelles entraînant le déplacement du chauffe-eau du premier étage au sous-sol, puis la tondeuse est passée dans l'au-delà, l'aspirateur s'est mis en grève et la télévision s'est sentie négligée ! Total des dommages : la modique somme de 5 000 $.

Catastrophe après catastrophe, j'ai fini par trouver cela amusant... mais seulement quand je me suis aperçue que cette concordance d'événements avait tellement taxé mes réserves que j'ai été obligée de voir plus petit pour chaque rénovation ou achat, avec en bout de ligne une économie de près de 10 000 $.

Comparez ce que vous avez à ce que d'autres n'ont pas

Les problèmes d'apparence et de jardins deviennent petits s'ils sont comparés à des problèmes d'inondation, d'incendie, de perte de maison, de calamités telles que famines, sécheresses, tremblements de terre, tornades ou guerres.

Élevés dans un pays où règne l'abondance, nous la considérons peut-être comme normale, comme un dû. Rien de mal en soi sauf que, en sommes-nous à ne plus l'apprécier ? Vous offusquez-vous de ne pas posséder, par exemple, la montre convoitée. Êtes-vous blasé de ce que vous avez ?

Réfléchissez bien !

2. Agissez par rapport à votre stress

C'est le propre du mental, sous l'égide de l'ego, de s'affoler. Il réagit ainsi à la peur. Il passe de l'euphorie à la dépression et vice versa tout en adoptant, dans l'intervalle, une grande kyrielle de sentiments et d'émotions.

Vous pouvez apporter une paix relative à ce mental en utilisant un des trucs mentionnés précédemment, même si, à la suggestion d'un vieil adage, vous devez " cent fois sur le métier remettre votre ouvrage ". Changer une façon de faire demande de la pratique et du temps. Ce n'est que normal, c'est-à-dire humain et totalement humain.

Vous pouvez également y arriver autrement :

Soyez honnête avec vous-même

C'est-à-dire reconnaissez ce que vous ressentez véritablement. Pour ce faire, vous devrez vous débarrasser de certains beaux atours propres à notre société où, par exemple, il est plus honorable d'affirmer être stressé que d'avoir peur. C'est l'ego, auquel l'être humain se soumet qui, effrayé par sa propre crainte, ménage son orgueil de la sorte. En fait, l'ego se sent fondamentalement impuissant.

Reconnaître ce que vous ressentez, c'est admettre le côté sombre de votre personnalité. Vous pourrez alors mieux y faire face. En remontant à la croyance qui a généré ce sentiment, de peur par exemple, vous devenez moins vulnérable. Trois fois, j'ai perdu un emploi avant de décider de devenir travailleuse autonome. Durant toutes ces années, j'ai fait face, de nombreuses fois, à la peur de l'inconnu, vivant transition après transition. Ce n'était que lorsque j'acceptais de ressentir ma peur qu'elle diminuait en intensité pour faire place à davantage de confiance en la vie.

Dénier ce que l'on ressent, c'est se le cacher sans pour autant l'éradiquer. En conséquence et au moment même où vous vous y attendrez le moins, il ressurgira subitement. Il risque donc de vous affecter sans que vous ne puissiez réagir à temps. Les dommages qui en découleront prendront diverses formes, telles des décisions inappropriées et prises à la hâte ou des paroles blessantes à l'égard de personnes aimées.

J'aimerais simplement ici vous rappeler que faire appel à Dieu dans de pareilles circonstances ou en d'autres, constitue la solution la plus facile et la plus évolutive. Alors n'hésitez pas, Dieu ne comptabilise ni vos demandes d'aide et ni ses réponses.

Changez-vous les idées

Absorbez-vous dans une pensée ou une activité plaisante, qui vous fera oublier vos problèmes.

D'autres attitudes du même type peuvent être utilisées en parallèle afin de faciliter la transition désirée. Une de celles-ci consiste à s'ordonner de ne plus penser et une autre à s'élever au-dessus des pensées indésirables.

Lorsque son fils fait un cauchemar, une de mes amies le rassure puis lui suggère de s'imaginer sur une plage en train de bâtir un château de sable. Ou encore, elle lui dit de se voir en train de marcher dans un champ de blé ou de flotter dans une piscine d'eau chaude. Ainsi, il se rendort en se plongeant dans un rêve agréable et relaxant, son cauchemar étant chassé par le fait même.

Remettez votre stress au lendemain

Le stress est bien la seule chose qu'il est bon de reporter au lendemain ! Dites-vous simplement que vous mettez votre stress de côté dans le but de prendre des vacances. Vous le méritez bien après tout. À votre retour, vous le reprendrez mais vous serez reposé pour y faire face et peut-être même que, fatigué de vous attendre, il aura fichu le camp !

Renseignez-vous avant d'agir

Quelle que soit la décision à prendre, il est toujours adéquat de prendre le temps de se renseigner auprès de personnes compétentes et, idéalement, auprès de plus d'une personne, afin d'obtenir des avis variés. Prenez toutefois le temps d'étudier et d'analyser ces informations colligées avant de prendre une décision. En prime, vous vous permettrez de décompresser et de mieux évaluer l'action adéquate.

Quels que soient les conseils reçus, il est important de respecter vos valeurs, votre façon d'être, vos choix et vos limites. Par exemple, financièrement parlant, même s'il serait idéal pour vous d'acheter une maison, il se pourrait que ceci ne corresponde pas à ce que vous désirez.

Je valide mes décisions importantes me demandant si à 65 ans j'en serai fière. J'établis ainsi une distance entre moi et le moment présent surchargé d'émotivité. À titre d'exemple, sans emploi à quarante ans, j'ai utilisé ce truc afin de déterminer si je devais démarrer ma propre affaire ou me chercher de l'emploi. Finalement, j'ai choisi la première option. Cependant, être à son compte comporte l'inconvénient d'un revenu incertain et a alimenté en moi une anxiété naturelle. Lassée de ce stress, je me suis interrogée à savoir si à 65 ans, je regretterais de m'en être fait autant au lieu de profiter pleinement du temps mis à ma disposition. Effectivement, je m'en serais voulu d'avoir si peu apprécié ce qui s'offrait à moi ! J'ai donc décidé de mieux contrôler mon inquiétude. Oui, je retombe parfois dans une sorte de marasme émotionnel, mais aujourd'hui je m'en sors beaucoup plus rapidement.

Certes dans toute décision, il y a des risques. Il est donc essentiel de les connaître et de les évaluer avant de prendre action. Ainsi, ils ne constitueront pas une surprise s'ils se présentent car vous aurez prévu des portes de sortie au cas où les choses tourneraient mal. Même si ces portes ne sont pas utilisées, les connaître procure un sentiment de sécurité.

3. Prenez la vie avec un grain de sel

Il est toujours possible de se sortir d'une situation difficile mais, il est davantage aisé de le faire si l'humour est de la partie. Vous pourrez y arriver de la façon suivante :

Mettez de côté les grandes questions existentielles

À quoi consacrez-vous votre temps ? À des activités, pour ne pas dire " obligations " comme, le travail, le ménage et à discuter d'aspects terribles de la vie tels que maladies, catastrophes, tueries et problèmes divers. Rien de drôle en soi !

L'être humain sous l'égide de l'ego patauge et macère à longueur de journée dans du sérieux. J'ajouterais que ce phénomène de sérieux affecte tout domaine incluant la croissance personnelle ou spirituelle. Un tel fait est observé lorsqu'en dehors d'un enseignement, aucun salut n'est possible. Faire de sa vérité, l'unique et la seule, pose des problèmes et crée des conflits voire des guerres.

Je me souviendrai toujours de ce voyage en République Dominicaine dont j'ai parlé précédemment. À mon arrivée, je me suis jointe à un petit groupe de participants puis au fil des soupers, le groupe s'est agrandi mais, fort heureusement, deux personnes totalement étrangères au cours se sont jointes à nous. Ça m'a permis d'oublier ou presque le cours. Alors au lieu d'en discuter, j'ai parlé de tout et de rien. Ainsi au lieu de me gargariser de mes découvertes si précieuses ou de l'avancement profond de mon existence, et je dis cela avec un grain de sel, je me suis simplement amusée. Cela a été, je crois, sain pour moi ainsi que pour d'autres personnes du groupe dont je faisais partie.

Consacrez davantage de temps au plaisir et au rire

Avez-vous du plaisir dans la vie ? Souvent ou occasionnellement ? Juste un tout petit peu, un peu, ou beaucoup ? Vous amusez-vous avec rien ou presque rien ?

Parfois je me demande si j'ai perdu ce petit quelque chose qui fait le zeste de la vie. Pourtant fillette, je savais m'amuser... Où ai-je donc perdu cette faculté ? J'avais un plaisir fou à écraser, entre deux feuilles de papier ciré, du fondant au chocolat que ma mère glissait dans ma boîte à lunch. Lorsque je le dégustais avec les doigts, mon bonheur était à son comble, d'autant plus si on était vendredi, veille d'un congé scolaire ! Je prenais également grand plaisir à manger de la tarte aux pommes mais pas comme on me l'avait appris. Une fois le morceau dans mon assiette, je m'attablais à l'importante tâche de déshabiller le morceau de tarte en suivant les opérations suivantes : primo, manger la croûte du dessus, secundo, les pommes, tertio, lentement mais sûrement, la croûte du dessous imbibée de jus de pommes en gelée. C'était tout simplement divin !

Pourquoi un adulte devrait-il perdre son émerveillement d'enfant en gagnant un niveau de conscience ? Avec le temps, je suis devenue beaucoup trop intellectuelle, devenant, je crois inodore, incolore et sans saveur. Je ne rejette pas pour autant le côté intellectuel de ma personnalité car il a aussi son utilité. Cependant, en m'y cantonnant, je me suis coupée d'autres aspects de la vie entre autres ceux du coeur et du physique. Aujourd'hui, ils ont repris leur place dans ma vie. Davantage spontanée dans mes invitations, je ne me préoccupe plus de savoir si ma maison est impeccable. N'est-il pas aussi, sinon plus important de prendre plaisir à jouer aux cartes, à se baigner, à faire des marches en pleine nature, à goûter divers plats et d'être en bonne compagnie ?

Le rire est considéré depuis les temps anciens comme étant un remède efficace contre divers maux. Pour moi c'est un très bon remède pour des intestins paresseux ! Rire rend léger, tellement léger que sans vous en rendre compte vous laissez aller la plupart de vos préoccupations ! Il rend le bonheur plus facile.

Certains prétendent également que le rire dissout le négatif en nous et les masses énergétiques indésirables.

Si vous ne trouvez pas prétexte à rire, alors chantez ou

fredonnez et donnez-vous ainsi de l'élan. Vous constaterez que vous vous porterez bien mieux.

4. Donnez priorité à l'humain

C'est à se demander si aujourd'hui l'être humain est à son propre service ou au service de sa progression sociale, de sa maison ou de son automobile. Qu'en pensez-vous ? Moi, je crois qu'aujourd'hui nous ne donnons pas assez la priorité à l'humain. C'est pourtant si facile...

Démontrez de la gentillesse, à vous et aux autres

Il est important d'être bon envers soi-même. À mon avis, c'est la base du bonheur. Être gentil envers soi, c'est avant tout s'accueillir dans ce que l'on est, dans ce que l'on ressent intérieurement et ce, sans se juger car il n'y a pas de bien ou de mal en cette matière. Certains appellent cela s'aimer. Et vous, vous aimez-vous ?

Il est important de vous aimer, sans quoi vous ne pouvez aimer autrui. Je vais même plus loin dans mes conclusions. Je crois que les enragés du volant ou les personnes commettant des actes violents, sont des gens qui ne s'aiment pas ou ne savent pas comment s'aimer. De ce fait, ils n'accueillent pas non plus leurs souffrances !

Dans cette optique, je demeure convaincue de la nécessité d'enseigner aux enfants à s'aimer. Autrement dit, de faire passer l'humain avant les choses.

Voyez les gens qui vous servent comme ayant eu la bonté de le faire

Aujourd'hui, la majorité des consommateurs considèrent comme un dû les services rendus ou les produits fournis, accompagnés bien sûr d'une qualité exceptionnelle et d'un prix imbattable ! Malheureusement, une telle attitude ne favorise pas une plus grande humanité mais plutôt une plus grande robotisation dans nos relations.

Il est bon de se rappeler que les gens qui nous rendent service ne sont pas obligés de le faire. Ils le font parce qu'ils le veulent bien. Un chauffeur d'autobus n'est pas contraint de faire ce métier, il l'a choisi. Même chose pour l'infirmier qui panse une blessure, le commis du dépanneur qui vend un journal, l'employé de banque qui effectue une transaction et le serveur qui prend une commande au restaurant. Toutes ces personnes ont choisi leur métier parce qu'elles le veulent bien. Nous pouvons donc les en remercier. Ainsi, au lieu de nous inquiéter à outrance de notre droit à recevoir un service, nous libérons l'humanité en nous pour la partager avec d'autres. Je sais que parfois, il n'est pas aisé d'agir de la sorte. Happés par diverses préoccupations, nous en venons à oublier quel est le véritable sens d'une relation. J'ai quand même l'intime conviction que si nous y parvenons davantage d'année en année, c'est un pas dans la bonne direction.

5. Élargissez votre vie

Confronter nos idées à celles des autres, nous force à réfléchir et en même temps à nous solidifier. Les astuces suivantes vous aideront à y parvenir :

Explorez

Explorer, aide à trouver des alternatives à une situation, qu'il s'agisse de nouvelles idées ou de nouvelles façons de faire. Cela vous permettra d'être davantage créatif.

Explorer signifie chercher, se renseigner, questionner, vérifier. L'inconvénient c'est que cette action va à l'encontre de notre sécurité puisqu'elle entraîne des remises en question.

Vous êtes ainsi amené à vivre des périodes de confusion car ce terme rime avec contester et que par conséquent plus rien ne tient. C'est le fameux vide observé en créativité. Pourtant, ce vide est nécessaire pour permettre au plein de se faire à nouveau.

L'être humain croit malheureusement que remettre en question ce qu'il pense ou fait équivaut à se remettre personnellement en question. Souvenez-vous que vous n'êtes ni ce que vous pensez, ni ce que vous ressentez négativement, ni ce que vous faites, car tous ces éléments relèvent de l'ego.

Essayez

Explorer est bien mais, il faut aussi essayer, c'est-à-dire appliquer. Se limiter à explorer réduit la possibilité de changer concrètement votre vie. Les personnes qui n'essayent rien ne gagnent rien. Elles ne font pas d'erreurs non plus, mais c'est un choix. Alors, désirez-vous prendre le risque de faire des erreurs mais aussi de gagner, ou ne rien tenter, c'est-à-dire ne pas faire d'erreurs, mais aussi ne rien gagner ?

Acceptez de vous faire conseiller

Le but de la spiritualité est de vous permettre de développer une autonomie pleine et entière. Cependant, ceci n'a rien à voir avec le fait de se faire accompagner dans la résolution d'un problème spécifique lorsqu'on ne peut y arriver seul.

Bien des gens hésitent à demander conseil de peur de se sentir rabaissés. Cette tendance prend parfois la forme d'un refus systématique de toute suggestion, sous prétexte qu'elle provient d'un membre de la famille ou encore d'un professionnel de la santé. Est-il nécessaire de toujours réinventer la roue ? Afin de profiter de l'expérience des autres, mettez votre orgueil en poche. Vous augmenterez ainsi vos chances de retirer des bénéfices. Idéalement, pour obtenir une vue d'ensemble la moins biaisée possible, il est préférable d'aller chercher conseil auprès de plus d'une personne. L'importance du sujet peut également requérir d'en consulter plusieurs.

Souvenez-vous également que les gens de qui vous obtiendrez un conseil ont certes une vaste expérience mais celle-ci peut être limitée concernant votre problème. La raison en est bien simple : il est impossible à quiconque de tout connaître, sans compter que nous sommes tous sujets à l'erreur. Donc fiez-vous quand même à votre jugement.

La santé... une denrée essentielle

Toute jeune, quand mes tantes me souhaitaient une bonne santé le Jour de l'An, je trouvais ça tellement vieux jeu ! Aujourd'hui, à l'aube d'un demi-siècle de vie, je dois admettre qu'elles avaient bien raison. Il est difficile de jouir de la vie si la santé nous échappe.

La spiritualité ne renie pas le corps et même si celui-ci est un véhicule, il est aussi divin que l'être qui l'habite. Votre corps vous assure l'énergie nécessaire pour entreprendre et poursuivre votre quête en vue d'assumer votre rôle en tant que Rayon de Dieu. Au quotidien, vous serez étonné de constater qu'en vous préoccupant de votre spiritualité, certaines mauvaises habitudes de vie disparaîtront au profit d'autres beaucoup plus saines.

Le corps humain peut être comparé à une automobile dont le coût élevé nous porte généralement à en prendre soin. Ne vaut-il pas au moins autant sinon bien plus ? Pourtant, il est surprenant de constater combien de gens prennent davantage soin de leur véhicule que de leur corps tant en matière de bichonnage que de dépense monétaire ! Certes, ce dernier prend davantage de temps qu'une voiture à se détériorer mais aussi, à se réparer. Il est donc nécessaire d'en prendre soin sur une base régulière, d'autant plus que les pièces de rechange se font rares ! La prévention s'applique tout autant, sinon davantage, au corps qu'à l'auto.

L'exposé qui suit constitue un tour d'horizon de ce qui est véhiculé, à tort ou à raison, au sujet de la santé, tant dans les communications écrites que les documentaires télévisés. Comme pour l'ensemble de ce livre, ce résumé sans prétention a pour objectif d'apporter des points de réflexion.

1. Mangez santé

Mais, qu'est-ce que manger santé ? Le nombre de théories à cet égard est tellement élevé qu'on ne sait plus que penser. Un point commun cependant : se procurer des aliments de qualité. Examinons les aliments que nous retrouvons sur les tablettes des épiceries :

De la viande et de la volaille...

... Provenant d'animaux nourris aux hormones, aux antibiotiques et à partir d'aliments ne correspondant pas à leur nature tels que de la farine carnée pour les bovins ou les moutons alors que ces derniers sont végétariens.

Plusieurs problèmes découlent de ces pratiques. Que l'on pense au développement chez les êtres humains de bactéries résistantes aux antibiotiques, ce qui rend inefficace le traitement de certaines maladies... Que l'on songe également à la crise de la vache folle, l'ESB (Encéphalite Spongiforme Bovine), causée par l'ingestion de produits carnés par les bovins, nourritures contaminées par un virus, transmis par la suite à l'homme. Et que dire de toutes ces hormones ingérées par les animaux et qui se retrouvent ensuite dans votre assiette ? Des études américaines sont présentement en cours pour valider l'hypothèse que la taille nettement supérieure de la jeune génération ainsi que sa maturité physique précoce, seraient reliées à la consommation de ces hormones.

Du sucre en grande quantité...

... Soit sous sa forme rapide telle que sucre blanc, cassonade, sirop, confitures, crème glacée, boissons fruitées et gazeuses... Soit sous sa forme lente telle que farine de blé blanchie, riz blanc et les produits transformés comme les biscuits, brioches, gâteaux, et pain blanc. Ces types d'aliments et de boissons sont depuis longtemps décriés puisqu'ils sont pauvres en nutriments essentiels. Ils sont des calories vides et portent en plus à en consommer davantage. En effet, le corps recherche désespérément ce à quoi il est habitué ou ce qui lui est nécessaire, accumulant des calories transformées en une graisse encombrante à son bon fonctionnement. Ils sont également à la source de la prolifération du candida albicans, champignon se nourrissant de sucre et provoquant des symptômes variés tels ceux reliés à l'hypoglycémie et bien d'autres.

De la graisse végétale hydrogénée...

... Surnommée gras trans ainsi que diverses graisses surchauffées. La graisse végétale hydrogénée est utilisée par exemple dans la fabrication des biscottes. Les graisses surchauffées sont l'apanage de la restauration rapide. Dans ces deux cas, elles sont considérées comme nocives lorsqu'ingérées en grande quantité et sur une base prolongée. Peu nutritives, elles s'emmagasinent dans les cellules adipeuses du corps.

Des produits de la terre...

... Aspergés d'engrais chimiques, d'insecticides et de pesticides ou encore modifiés génétiquement. Les premiers sont décriés en raison de la pollution des terres qu'ils causent, de la faible quantité des nutriments qu'ils contiennent par rapport à ceux produits dans le passé et qui étaient plus naturels ainsi que de leur impact sur la faune et les êtres humains qui les manipulent. Les seconds, les organismes génétiquement modifiés (OGM), sont contestés en raison de leur effet sur le corps et sur l'environnement. Ils seraient entre autres particulièrement nocifs pour les monarques, magnifiques papillons orangés et noirs. Quant à leur résultat à long terme sur le corps humain, la preuve de leur innocuité reste à démontrer.

Des produits...

... Auxquels on a ajouté nombre de substances chimiques dont on ne connaît pas les véritables effets à long terme sur l'organisme. Allez dans une épicerie et amusez-vous à lire les étiquettes des produits. C'est révélateur !

Lorsque j'écoute toutes les critiques à propos de l'alimentation, je penche davantage en faveur des denrées saines au sens ancestral du terme. C'est à mon avis une question à la fois de respect de la nature tant au niveau de sa flore que de sa faune. Aussi, j'essaie d'encourager les producteurs qui ne polluent pas et permettent à leurs animaux de vivre sainement. C'est aussi, à mon avis, une question de bon sens. Pourquoi mangerais-je un aliment contenant un produit chimique que je ne connais pas et dont je ne saisis pas la raison de la présence ? Si ces substances n'entraient pas dans la composition par le passé, pourquoi donc en faut-il aujourd'hui ?

N'en déplaise aux fabricants, devrais-je me fier aveuglément à leurs affirmations ? D'autant plus que la relation de confiance est ébranlée par les impératifs de production qui ont conduit bon nombre d'entre eux à nourrir des bovins aux hormones et aux antibiotiques ainsi qu'à utiliser les fertilisants, pesticides et insecticides de façon routinière.

Voici d'autres exemples d'abus. Sur certains contenants d'huile d'olive, nous retrouvons l'inscription sans cholestérol. Les fabricants, bons psychologues, ont vite saisi la préoccupation des gens à manger sans cholestérol. L'inscription est vraie, mais il n'y a jamais eu et n'y aura jamais de cholestérol dans l'huile d'olive. Elle n'en provoque pas non plus. Sur l'emballage de certains légumes, nous retrouvons l'inscription sans agent de conservation. Il n'y en n'a jamais eu, à ce que je sache, ces agents de conservation étant plutôt utilisés dans la composition d'aliments comme les biscuits. Le producteur, cependant, ne mentionne pas si ses légumes ont été cultivés aux engrais chimiques, aux insecticides et aux pesticides ou encore s'ils sont des OGM. Il est donc nécessaire de se renseigner et d'user d'un grand discernement dans nos achats.

En résumé, comme bien d'autres consommateurs, je traverse une crise de confiance. C'est malheureux parce qu'il y a quand même des fabricants honnêtes qui, comme nous, doivent gagner leur vie. Mais, j'en suis arrivée à douter de la qualité de bien des marchandises. De plus, lorsque article sain rime avec prix élevé, ma capacité de payer est limitée. Je ne suis sans doute pas la seule. Il nous faut donc analyser de façon systématique ce que nous consommons et, à ce sujet, je vous recommande la méthode suivante :

L'étape de la conscience

Faites votre épicerie comme à l'accoutumée. Une fois rentré chez vous, divisez-la en deux catégories : les aliments n'ayant subi aucune transformation et auxquels rien n'a été ajouté (par exemple fruits, légumes) et tous les autres. À l'intérieur du second groupe, vous en retrouverez comprenant du sucre rapide ou du sucre lent ainsi que divers produits chimiques tels des marinades, des biscuits, des plats préparés, etc. Maintenant observez la quantité de sucre (rapide ou lent) et de sel en lisant la composition de chacun de ces produits sur toutes les étiquettes.

L'étape du coeur

Déterminez les habitudes alimentaires que vous voulez vraiment conserver, maintenant que vous êtes conscient du contenu des aliments habituels de votre panier d'alimentation.

Questionnez-vous sur ce qui est essentiel pour vous, côté coeur. Peut-être pensez-vous déjà le savoir ? N'oubliez pas que nous mangeons souvent par habitude, pas seulement par goût. Vous serez ainsi amené à éliminer des denrées qui ne sont pas saines.

L'étape de l'action

Vous pouvez peut-être troquer le poulet aux hormones pour un poulet de grain ou bio, en utilisant l'argent libéré par les biscuits que vous aurez choisi de ne pas acheter. Et ceci n'est qu'un exemple.

Si chacun d'entre nous décide d'acheter un article sain de plus par semaine, vous serez surpris d'observer des changements notables dans leur variété et peut-être à des prix plus satisfaisants pour tous.

Je conviens qu'il n'est pas facile de changer ses habitudes alimentaires même lorsque nous sommes convaincus du bien-fondé d'une réorientation. En effet, manger répond non seulement à un besoin de nutriments mais aussi à un besoin de satisfaction, peu importe qu'on l'appelle récompense ou compulsion. L'être humain s'y débride en mettant de côté ses bonnes intentions.

Face à ce dilemme auquel je n'échappe pas, j'applique une règle simple : je choisis les éléments d'un repas en fonction de son tout. Ayant ainsi une vision globale de l'entièreté de ce que je veux manger, incluant le dessert, je fais des choix alimentaires. J'ai pu ainsi conserver un poids normal pour ma taille. Supposons que je veuille manger une lasagne, j'éviterai alors le pain sinon j'alourdirai mon repas. Comme entrée, je prendrai une salade plutôt qu'une soupe à l'oignon gratinée et comme dessert, je me contenterai de quelque chose de léger et faible en calories. Par contre, si je tiens absolument à manger un morceau de gâteau aux carottes, mon gâteau préféré, je prendrai une soupe ou une salade en mets principal afin de pouvoir en profiter. Ou encore, afin de ne pas surcharger mon estomac, je prendrai un poisson avec double portion de légumes en évitant pâtes, patates ou riz.

Ne pensez pas pour autant que je suis une ascète de première catégorie, satisfaction oblige. J'essaie surtout de bien m'alimenter à la maison puisque c'est là où j'ai le plus de contrôle sur moi. À titre d'exemple, j'évite d'acheter des biscuits qui, arrivés à la maison ne survivront pas très longtemps. Au restaurant, le respect de mes orientations alimentaires m'est plus difficile. Alors je dois avouer qu'un bon hambourgeois ou des frites, ont parfois raison de mes meilleures intentions. Et j'en jouis ! Dans l'ensemble, le bilan est positif, puisque je conserve et améliore mon état de santé.

De plus, j'ai remarqué que certaines habitudes alimentaires correspondent à des états d'esprit. N'hésitez pas à vous observer et à corriger ces derniers. Les chemins et les moyens suggérés dans ce livre comme dans d'autres d'ailleurs, peuvent vous aider en ce sens.

2. Tenez compte de vos habitudes alimentaires

N'oubliez que votre corps est habitué à ingérer certains aliments et les réclame. Des habitudes alimentaires peuvent se changer à force de volonté et de motivation, mais ce n'est pas une tâche facile. Pour faciliter une transition, je vous suggère à nouveau la méthode en trois étapes discutée précédemment (conscience - coeur - action). Les changements qu'elle amène sont graduels et facilités par le fait qu'elle vous habitue à mieux manger. En y prenant goût, vous continuerez dans cette voie. Considérez également les réalités suivantes dans vos choix alimentaires :

Adaptez-vous à votre corps et à ses nécessités

Depuis de nombreuses années, il est reconnu que nombre de gens souffrent d'intolérance alimentaire. Je ne parle pas ici d'allergies où le corps réagit dangereusement à l'ingestion d'aliments spécifiques, au risque d'entraîner la mort comme l'intolérance aux fruits de mer ou aux arachides. Il s'agit plutôt de la difficulté du système digestif à digérer adéquatement certains aliments. Les intolérances dont on parle le plus ces années-ci sont celles aux produits laitiers bovins et au gluten.

Pourquoi ces intolérances ? La médecine n'a pas encore toutes les réponses. Tout ce qui peut être dit à ce sujet c'est que c'est comme ça.

Respectez les spécificités de votre groupe sanguin

Selon Peter A. D'Adamo [32], intervenant américain en médecine naturelle, le groupe sanguin déterminerait l'alimentation la plus adéquate. Selon sa théorie, les membres du groupe sanguin A auraient avantage à éviter la viande rouge, contrairement à ceux du groupe sanguin O. Dans son livre sur le sujet, il traite des aliments favorables, neutres et à éviter ainsi que des maladies propres à chaque groupe.

J'ai suivi certains de ses conseils et j'ai constaté qu'il y a dans cette approche une base de vérité. Mon groupe sanguin est A. Idéalement, je dois éviter viande rouge, produits laitiers bovins, blé, aliments vinaigrés et la plupart des agrumes. Au fil des ans, j'en suis venue naturellement à délaisser plusieurs de ces produits, les considérant difficiles à digérer ou trop acides. Cette approche a confirmé certaines choses que j'avais observées.

Cette méthode n'est qu'une philosophie alimentaire, et je ne la suis pas de façon stricte. Que vous y croyiez ou non importe peu, ce qui est important c'est de manger de façon équilibrée et de vous sentir bien physiquement, quelle que soit la philosophie à laquelle vous adhérez. En réalité, écoutez votre corps.

Respectez vos convictions alimentaires

La spiritualité est généralement associée au végétarisme, la raison principale en étant qu'il est difficile de méditer si le système digestif dévie l'énergie à son avantage. Dans ce cas, vous risquez davantage d'être entraîné dans les bras de Morphée plutôt que de méditer ! Digérer de la viande rouge requiert davantage du système digestif que d'assimiler des noix ou des fruits. La seconde raison c'est que les bêtes dont vous vous nourrissez transportent et conservent dans leurs cellules la peur de leur abattage. Lorsque vous les mangez, cette peur vous est transmise et vous affecte. C'est possible... mais je ne peux rien affirmer puisque je n'ai ni lu d'étude scientifique sérieuse sur le sujet, ni observé de différences notables, spirituellement parlant, entre les personnes non végétariennes et végétariennes. Mon conseil ? Mangez selon vos propres orientations, question de bien vous sentir dans votre peau.

3. Tenez compte des besoins de votre corps

En général, l'être humain s'attend à ce que son corps le serve comme une machine ne requérant peu ou pas d'entretien et encore moins de réparation jusqu'au jour où il constate que cet ensemble de nerfs, de muscles, d'organes et d'os ne répond plus comme il le désire. Le corps est un acquis à conserver. Il est impératif de le respecter. Dans ce contexte, mieux vaut prévenir que guérir.

Les attitudes suivantes peuvent aider votre corps à vous soutenir :

Respectez le rythme de vie de votre corps

L'être humain aurait, semble-t-il, avantage à scinder son sommeil en deux périodes plutôt qu'une afin d'éviter à son corps une surcharge de fatigue. C'est d'ailleurs ce que bien des animaux font. Est-ce normal de s'activer sans s'arrêter ? Même les pauses-café et les repas sont utilisés pour faire des courses ! Voyez-y une occasion de prendre soin de vous. Je suis très consciente que le style de vie métro-boulot-dodo que beaucoup vivent, restreint à ce niveau. Cependant, il n'est pas impossible de vous rattraper pleinement les fins de semaine en vous inspirant du chapitre *Les anciens et les nouveaux dieux*, à la page 117 de ce livre.

La fatigue tout comme le stress s'accumulent, atteignant des niveaux de plus en plus hauts. Plusieurs périodes de repos seront donc nécessaires afin d'éliminer ces états.

Donnez à votre corps les nutriments dont il a besoin

Plus jeune, il ne me serait même pas venu à l'idée de prendre des vitamines et des suppléments alimentaires. Aujourd'hui, j'ai modifié mon opinion à ce sujet. J'en prends seulement si j'en ressens le besoin, ne désirant créer ni automatisme ni dépendance. Il est connu qu'un abus de vitamines et suppléments peut être nocif et que dans certaines situations, des vitamines prises en trop grande quantité sont éliminées sans être utilisées. Dans ce dernier cas, cela provoque des rejets onéreux ! Comme pour toute chose, je suis convaincue que nous devons user de discernement.

Donnez à votre corps suffisamment d'exercices physiques

La pratique de sports ou d'activités physiques vient contrebalancer l'inactivité reliée au travail intellectuel. Selon Peter A. D'Adamo, les personnes de groupe sanguin A préféreraient des exercices non violents tels que la marche et le yoga. Les personnes de type sanguin O, jeteraient leur dévolu sur ceux requérant des efforts physiques plus grands et soutenus tels, le tennis et le squash. A-t-il raison ? Peut-être que oui, peut-être que non ! Cependant, il met en évidence que chaque individu est unique et donc, nécessairement, le choix d'activités physiques l'est aussi. Encore là, respectez-vous !

L'exercice physique peut, à mon avis, être divisé en trois catégories : les activités manuelles, les exercices de gymnastique et les exercices de re-balancement énergétique.

Les activités manuelles comme le jardinage ou la menuiserie, permettent de donner un repos bien mérité à votre mental. Elles ont également pour avantage de vous aider à revenir sur le plancher des vaches, c'est-à-dire de retourner à une simplicité et une réalité très quotidiennes, mettant ainsi de côté les scénarios farfelus dont le mental raffole. Les exercices de style gym visent une mise en forme physique axée sur la musculation ou l'amélioration cardio-vasculaire. Ces activités procurent toutes deux une relaxation bien méritée. Par contre, elles n'éliminent pas du corps les masses énergétiques indésirables.

À cet effet, des exercices de re-balancement énergétique viennent à la rescousse sous diverses formes, dont : le Tai Chi, le yoga ou encore les Cinq Tibétains.

Finalement, n'oubliez pas la bonne vieille marche qui est inclassable et que l'on ne peut détrôner. Elle vous permet de relaxer tout en prenant l'air. Elle est abordable dans toutes les situations même lorsque vous vous rendez au travail.

Consultez des intervenants en santé

Il est logique de solliciter des avis multiples au niveau de la santé dans le but de régler un problème à sa source. À titre d'exemple, un intervenant en santé m'avait conseillé des orthèses pour régler des douleurs aux pieds. J'ai plutôt opté pour l'achat de chaussures de la meilleure qualité. Plus tard, un second intervenant a diagnostiqué une déficience de la glande thyroïde en observant une fatigue qui ne me quittait plus. À ma grande surprise, mon problème de pieds et la lourdeur que je ressentais aux jambes ont disparu avec le traitement de la glande thyroïde. Je ne peux en vouloir au premier intervenant qui n'a considéré que la douleur aux pieds. Je dois prendre ma part de responsabilité dans ce diagnostic, puisque je ne lui ai pas signalé tous les maux et symptômes qui m'affectaient.

Je n'ai fait, jusqu'à présent, aucune allusion au débat entre la médecine alternative et la médecine traditionnelle. C'est à dessein, puisque j'ai autant été satisfaite que déçue par l'une et l'autre de ces deux thérapies. Certes, j'ai un fort penchant pour la médecine naturelle car elle se préoccupe davantage de la source plutôt que des signes caractéristiques d'un problème. Cependant, je ne lui donne pas le Bon Dieu sans confession et je ne lui voue pas une confiance aveugle. J'en suis arrivée à la conclusion que ces médecines se complètent au lieu de s'opposer. L'alternative porte son attention davantage sur le règlement d'un problème à sa source alors que la traditionnelle se concentre plutôt sur l'élimination ou le contrôle des manifestations, la réparation des bris mécaniques ainsi que les cas d'urgence. Il s'agit donc de trouver ce qui convient pour chaque problème de santé.

Derniers conseils

Il est parfois difficile de maintenir une régularité dans le maintien d'une orientation particulière. Soit l'argent, le temps, l'intérêt ou même la discipline viennent à manquer ! En théorie, la régularité garantit de meilleurs résultats que l'irrégularité. Cependant, votre propre ouverture ainsi que l'application des principes directeurs, c'est-à-dire, le dialogue avec votre ego et avec Dieu, apportent des bénéfices importants même si vous ne vous engagez dans aucun chemin particulier.

Certains maîtres spirituels recommandent de consacrer un temps défini et à heure fixe à la pratique de méthodes telles que la méditation ou le yoga. Ainsi, vous n'avez pas à prévoir chaque jour quand vous devez vous y mettre. Cette façon de faire contrecarre par le fait même, les imprévus parfois nombreux de la vie d'aujourd'hui et c'est la raison pour laquelle je la privilégie. Ne vous découragez pas si vous avez un empêchement, reprenez simplement la routine déjà établie. Vous n'avez pas nécessairement perdu le résultat préalablement obtenu. Chacun d'entre nous est exposé à tomber un jour ou l'autre, même plus d'une fois. Alors, pourquoi vous en préoccuper ? L'important, c'est que vous vous releviez.

Si vous éprouvez des difficultés à suivre un chemin ou à utiliser un procédé particulier, cherchez-en la cause :

- *Il peut être adéquat pour vous de changer d'outil d'évolution si celui choisi ne vous convient tout simplement pas. Aucune voie ou moyen ne constitue la seule assurance à un bien-être ou à l'évolution recherchée. Dans cette perspective, n'en faites pas un dogme, un des synonymes de croyance qui, lorsque non respecté vous conduira tout droit en enfer.*

- *Il peut être adéquat d'adapter vos activités spirituelles aux impératifs de votre vie. Il y a plusieurs années, le matin, je faisais des exercices d'Hatha Yoga mais, parfois le goût ou le temps n'étaient pas au rendez-vous. Alors, j'en effectuais une partie le matin, une partie le soir.*

- *Peut-être que vous vous en demandez trop. Il est préférable d'en faire moins mais de le faire régulièrement.*

- *Ne vous comparez pas à ceux qui vous guident. Ils sont là pour vous inspirer et non pour vous décourager. Ils excellent dans la discipline qu'ils vous enseignent et ont souvent à leur actif plusieurs années d'expérience. Alors, ne vous mesurez pas à eux et appréciez plutôt vos propres progrès !*

Zut ! J'allais oublier l'abondance si chère à nos yeux.

Si certains mouvements prônent une vie monastique, c'est simplement pour permettre au chercheur de mieux observer son ego, le désordre de celui-ci et son esclavage par rapport à ce dernier. Il peut ainsi mieux s'en détacher et reprendre contact avec sa nature divine, qui est Amour.

L'abondance se situe, selon la spiritualité, dans cet Amour qui ne laisse aucun vide et qui coule comme une rivière en nous. Elle ne se trouve pas dans l'ego, ni dans les croyances, les sentiments et les émotions propres à celui-ci, car ceux-ci lui opposent des barrières comme les roches, les îlots de bois ou les morceaux de glace d'une rivière, déviant ainsi son action.

L'ego recherche l'opulence à travers la possession de biens ou de personnes. Perdre ceux-ci vous oblige à faire face, à la mesure de votre soumission à l'ego, au vide en vous. La paix de l'esprit, le jugement et même le sens propre à votre vie seront probablement perturbés, la colère s'y associant parce que vous croyez que la vie vous enlève ce à quoi vous tenez le plus.

La spiritualité n'a rien contre l'abondance. Elle souligne seulement qu'elle est là où vous ne la cherchez point, soit en vous, toujours disponible. L'abondance vous procure par extension ce dont vous avez besoin à l'extérieur. Elle vous appartient par droit divin, ne peut être altérée ou enlevée par qui ou quoi que ce soit. Si l'abondance ne vous a pas encore visité, vous ne l'avez peut-être, tout simplement, pas vue. En vous inspirant de la section *Attitudes positives et trucs correspondants* à la page 215 de ce livre, refaites vos comptes.

Elle se manifeste sous diverses formes tels un sourire, un remerciement ou un accueil chaleureux, spontané, naturel, sans jugement de votre part ou de celui des autres. Elle s'exprime également par des dons, différents d'une personne à l'autre, tels en musique, en ébénisterie ou en ingénierie. Pensez aussi à ceux qui vous soutiennent soit comme ami ou amoureux, aux surprises et aux cadeaux reçus, à votre équipe et à votre environnement de travail, à vos animaux de compagnie, aux fêtes ou aux sorties auxquelles vous avez participé, à vos loisirs, aux occasions de développement, à votre temps libre, à l'air pur, au silence, aux biens que vous avez pu acheter malgré leur prix élevé ou encore à l'argent que vous possédez et qui est aussi divin que tout le reste.

Elle prend également l'apparence de conseils concernant des attitudes ou des comportements, des façons de faire ou des décisions. Je côtoie par mon travail des personnes sans emploi et j'observe que certaines d'entre elles, bien que douées, ne réussissent pas à la mesure de leurs talents parce qu'elles n'écoutent pas, croyant qu'elles seules ont raison. Rien ne vous oblige à accepter ce qui est suggéré. Par contre, ceci constitue une invitation à vous questionner, tout en ne mettant pas de côté, évidemment, votre discernement. Vous augmentez ainsi vos chances de vous améliorer ainsi que de favoriser votre propre avancement. Associée à ceci, la créativité vous rendra visite plus souvent qu'avant car une attitude d'ouverture est davantage propice à celle-ci.

L'opulence est spontanée et il faut cesser de croire qu'elle se présentera d'une façon ou d'une autre, ou sous une forme quelconque, ou à un moment donné, par une personne déterminée. Elle est tout autour de vous et ce, même dans les plus petites choses.

Finalement si vous adoptez davantage une vision positive de ce que vous avez, je vous assure que vous aurez encore plus car vous cultiverez la certitude que vous possédez l'abondance et qu'elle n'est pas réservée qu'aux autres.

Chapitre 12

La créativité en action

Durant les années soixante au Québec, la décennie des questionnements sociaux et de la désécularisation, les religieuses du temps demandaient alors aux petites filles auxquelles elles enseignaient, lesquelles désiraient devenir l'une d'elles. Dans ma classe, nous avons été près du tiers à lever la main en signe de confirmation. J'étais parmi celles-là. Elles nous ont alors parlé de la vocation. Plus tard, j'en ai bien ri. Je ne me suis pas moquée d'elles ni d'avoir suscité cette réflexion chez nous mais bien de ce terme qu'est la vocation.

Aujourd'hui, je ne ris plus car j'ai réalisé que les religieuses avaient raison. Chacun d'entre nous possède quelque chose que lui seul peut développer pour son bien propre et celui de la société. Découvrir votre vocation, c'est prendre conscience du trésor que vous avez à partager.

Longtemps, j'ai cru que la spiritualité nivelait les différences entre les gens. En tant que Rayon de Dieu, chaque individu partage avec tout l'univers sa nature divine, mais tout en conservant sa propre individualité en matière d'action. Alors ne soyez pas étonné si votre coeur, celui qui est divin, ne vous transporte pas dans le même sens que celui de votre voisin. Il est à la base même de la vraie spiritualité et vous mènera vers des avenues que vous ne soupçonniez pas. Dans les faits, il vous ouvrira les portes de la créativité.

Vous êtes unique en tant que Rayon de Dieu. Vous pouvez vous inspirer de ce qui est extérieur à vous concernant l'orientation de votre vie. Cependant vous devez en tout temps vous assurer que ce n'est pas l'extérieur mais bien vous qui dirigez votre existence.

Au cours des années, j'ai eu de nombreuses idées sur ce que je pouvais faire de ma vie. Mais c'est seulement quand je suis entrée davantage en contact avec ma véritable nature, tout en restant dans l'action, que j'ai trouvé ma vocation. Cette découverte a été le résultat d'une quête intérieure.

Mes débuts et mes hésitations d'écrivaine

Ne croyez pas que jeune, j'avais déjà une vocation d'écrivaine. À l'école, le français n'était pas ma matière préférée, ni la rédaction, mon activité favorite. Avec le temps cependant, je me suis découvert la passion de présenter, de façon claire et dans sa globalité, un sujet. C'est alors que l'écriture a pris un tout autre sens pour moi. Elle est devenue un moyen d'expression de qui je suis.

Comme pour tout apprentissage, je n'ai pas eu un succès instantané. J'ai fait face à de nombreuses difficultés, que j'ai surmontées l'une après l'autre pour finalement passer du découragement au plaisir.

À l'école primaire, mes dictées et écrits étaient bourrés de fautes. À l'école secondaire, j'ai raté des examens parce qu'écrire me fatiguait et que trop de détails devaient être mis à toute vitesse sur papier, en raison du temps limité. À l'université, j'ai travaillé pour le secrétaire d'un comité de direction. Celui-ci avait la plume facile et, à mes yeux de l'époque, parfaite. Il dictait des lettres sans avoir besoin, ou si peu, de les corriger. Alors vous pouvez vous imaginer la frousse que j'ai ressentie lorsqu'il m'a demandé de rédiger une lettre pour lui. En pleurs et papiers mouchoirs à la main, j'ai mis trois heures à formuler les trois paragraphes qui la composaient. Lorsqu'il l'a lue en ma présence, il n'a émis aucun commentaire. À la fin de notre rencontre, il m'a dit " Ta lettre était bien écrite ". " Ouf ! " me suis-je alors exclamée intérieurement. Plus tard, j'ai soumis un mémoire de maîtrise sur l'application d'un article de loi. Pour ce faire, j'ai dû extraire les éléments pertinents de nombreux documents ou jugements et les regrouper de façon intelligible. Par la suite au cours de ma carrière, j'ai effectué divers travaux de même type mais sur des sujets différents développant ainsi un esprit de synthèse, une habileté à vulgariser et à présenter de façon structurée un sujet.

À l'adolescence, j'entretenais le désir secret d'écrire des contes pour enfants. J'en ai même écrit un auquel je n'ai pas donné suite. Plus tard, j'ai griffonné quelques lignes sur diverses histoires que je n'ai pas élaborées davantage. Dans la quarantaine, j'ai eu la bonne fortune de lire un livre qui abordait ce problème et proposait une solution simple : ne se pencher que sur un projet à la fois et le terminer avant d'en entreprendre un autre. Si des idées surgissent en rapport avec le second programme de travail, les noter pour y revenir lorsque le temps sera venu de le débuter.

J'ai donc appliqué ces conseils, ce qui m'a valu de mener à bien mon second conte pour enfants. Je n'avais qu'une idée de base sans que beaucoup d'autres viennent la compléter. La conclusion brillait même par son absence, ce qui me faisait craindre de ne jamais terminer l'oeuvre en question. Mais avec le temps, celle-ci a pris forme dans sa totalité. Je n'ai entrepris aucune démarche pour faire publier ce conte car ma motivation pour rédiger ce genre de récit s'était estompée avec le temps. Je n'en n'ai donc pas écrit d'autres. Par contre, grâce à cette expérience, je suis devenue plus confiante dans ma propre créativité. J'ai également été à même de constater que la persévérance est de rigueur et même essentielle dans la réalisation d'une oeuvre.

Avant de commencer ce second conte, j'ai constaté avec stupéfaction que mon hésitation à en entreprendre la rédaction résidait dans une croyance, bien ancrée en moi, à savoir qu'écrire était futile et inutile puisqu'il s'agissait d'une activité artistique. Pendant mon enfance, le côté artistique n'était pas bien vu, voire réprimé. Notre vie était centrée exclusivement sur des préoccupations de base, qui m'ont maintenue au sol avec mon assentiment. En cessant d'adhérer à cette croyance, j'ai pu libérer ma créativité.

Alors que j'étais travailleuse autonome - je le suis toujours d'ailleurs -, j'ai rédigé quelques manuels de formation en ressources humaines. Leur contenu était excellent, mais leurs illustrations étaient trop enfantines ce qui, je crois, a compromis leur mise en marché. J'ai mis un certain temps à m'en rendre compte alors que j'avais déjà investi beaucoup de temps et d'argent. Je ne regrette cependant pas cette expérience car elle est venue s'ajouter à toutes les autres.

C'est ainsi que la vie m'a formée. Elle m'a permis de découvrir qui j'étais au niveau de l'écriture et de développer, dans ce domaine, des habiletés qui me sont propres. Or, dans la réalisation d'une oeuvre écrite, créativité et capacité d'écrire s'épaulent mutuellement.

La naissance d'une idée, son développement et ses points d'achoppement

Une de mes plus grandes découvertes au sujet de la créativité, concernant l'écriture, réside dans le fait qu'elle est le résultat de beaucoup de travail et d'un peu d'inspiration. Écrire demande en effet beaucoup de besognes ingrates et exigeantes en temps, telles que le classement et le ménage des idées mises sur papier. C'est seulement lorsque ces tâches sont achevées, que l'on peut laisser libre cours à l'inspiration et commencer à rédiger. La vision idyllique que j'avais de l'écriture s'est donc teintée de beaucoup de pragmatisme et j'ai vécu ce que signifie s'enraciner dans la matière.

L'idée de réaliser ce livre m'est venue en République Dominicaine, en 1997, lors de cet atelier que je suivais avec Marie-Lise Labonté. Au moment où j'écris ces lignes, cela fait déjà quatre ans que j'y travaille. Il en faudra encore d'autres pour en arriver à sa publication.

L'idée bien en tête, j'attendais l'inspiration. Au début, j'ai écrit quelques paragraphes, puis un premier et un deuxième chapitre. Ensuite, je me suis mise à stagner, espérant toujours une illumination qui ne venait pas. Alors, une phrase a résonné dans ma tête " Pourquoi attends-tu ? ". En effet, pourquoi ? Alors j'ai continué à écrire jusqu'à ce que le livre en arrive à sa conclusion. J'ai compris qu'il ne suffit pas d'avoir une direction, il faut s'aligner par rapport à celle-ci et on ne peut le faire que dans l'action. D'ailleurs, cette dernière est le remède à bien des peurs ou hésitations.

J'ai rapidement découvert que l'idée maîtresse ne suffit pas, il faut en développer d'autres qui sont secondaires. Je me suis alors mise à noter celles-ci sur papier dans mon bureau, ainsi que sur des blocs dans l'auto, même sur des serviettes de table au restaurant, sur des revers de carnets de chèques... et j'en passe ! Des idées jetées à la hâte, un mot ou une phrase.

Celles-ci surgissaient aussi bien lorsque je faisais une sieste, regardais la télévision, flattais mon chat, préparais un repas, ou même lorsque je me réveillais la nuit ! Pendant un certain temps, j'ai même trouvé cela un peu déplaisant, me sentant possédée par le livre, sans vie personnelle ni répit. Aujourd'hui, je vois les choses autrement et je sais que la créativité est un processus spontané plutôt que planifié. De plus, j'ai appris également à faire une coupure et à me ressourcer, comme pour n'importe quel autre travail.

Quand je croyais ne plus avoir de thèmes, il en surgissait d'autres. Lorsque je m'apercevais que plus rien n'allait, je faisais autre chose comme vider la corbeille à papier, ranger des vêtements, faire la vaisselle de la veille, arroser les plantes, toutes des tâches en apparence anodines, mais qui m'aidaient à décrocher de ce travail intellectuel et à me ressourcer. D'autres suggestions venaient alors tout naturellement.

J'ai passé beaucoup de temps à classer, déclasser et reclasser des idées. Je m'amusais à les regrouper en collant sur des feuilles plus grandes les bouts de papier sur lesquels elles avaient été notées. À mes tous débuts, elles n'étaient rattachées à aucune structure. C'est en les lisant et relisant qu'elles se sont ordonnées d'elles-mêmes.

J'alternais entre écrire et réécrire, ajoutant, éliminant, classant, déclassant et reclassant.

Les idées déjà développées étaient rayées de mes feuilles de note. Celles-ci, une fois toutes supprimées, prenaient la direction du bac à recyclage. Mais avant qu'elles n'y aboutissent, j'enlevais minutieusement le papier collant non recyclable qui s'y trouvait pour le jeter à la poubelle. Ce manège me relaxait beaucoup car je délaissais ainsi toute intellectualité et même utilité véritable tout en respectant la nature.

Est-ce que j'ai toujours été inspirée lorsque j'écrivais ?

Pas nécessairement ! Concrètement, j'ai alterné entre des phases de création et de révision du texte. Puisque je rassemblais beaucoup d'idées sur un ensemble de sujets, j'écrivais tout ce qui me venait à l'esprit. Une fois cette étape terminée, je passais au crible ce que je venais de produire. Je m'assurais qu'aucune note n'avait été oubliée, que chacune était présentée de façon claire et sans ambiguïté, le tout dans un enchaînement ponctué par un rythme agréable à l'oreille. Le hic dans tout cela, c'est qu'on est souvent mauvais juge de soi-même : ce qui nous semble évident ne l'est pas nécessairement pour d'autres. C'est ce que des amis m'ont heureusement remémoré. Suite à leurs critiques et leur aide, le texte a été modifié plusieurs fois afin d'en assurer la clarté.

Avais-je toujours le goût d'écrire ?

Encore là, pas nécessairement ! Cependant j'ai découvert qu'en passant à l'action et en persistant on y prend goût, tout comme l'appétit vient en mangeant ! En réalité, il faut parfois prendre le temps de se mettre en état d'écrire. J'y arrivais de différentes façons : relire le travail de la veille, corriger des textes précédents, pianoter un temps sur mon ordinateur ou encore prendre le temps de me sentir émotionnellement et physiquement. En d'autres termes, je perdais théoriquement mon temps.

Parfois ces efforts étaient vains et l'envie de même que l'inspiration ne venaient pas. Si tel est le cas pour vous, ne vous obstinez pas et allez vous amuser, conseil que je n'ai malheureusement pas toujours suivi.

À l'occasion, je me suis fixé des objectifs de production, soit par réaction à mes propres difficultés pour rédiger ou dans le but d'accélérer la composition d'un texte spécifique. C'est une technique qui m'a réussi.

Écrire ce livre m'a procuré des moments de grande joie, d'autres de réflexion intense, parfois du plaisir, parfois pas. Mais dans l'ensemble, ce travail m'a beaucoup plu. C'est pourquoi je planifie d'en écrire un autre.

Est-ce que j'écrivais durant de longues heures ?

De façon générale, j'écrivais de trois à quatre heures par jour, parfois plusieurs jours d'affilée. Par la suite, je mettais le projet de côté, tout mon être réclamant une pause. Ceci me choquait car je désirais terminer le livre le plus rapidement possible et aussi me consacrer à un autre. Avec le temps, j'ai appris que de telles interruptions sont salutaires et font partie intégrante de la procédure de créativité, pour autant que le processus de rédaction soit assez régulier. Un travail créatif demande autant de discipline que n'importe quel autre.

Une force qui m'a fait évoluer

J'ai évolué avec le livre et il progressait avec moi, le tout prenant la forme d'une plus grande affirmation de moi-même.

La rédaction de cet ouvrage requérait que je dévoile une part de mon intimité. Je me sentais un peu rétrograde de parler de Dieu auquel je croyais et crois encore. Dans les faits, j'ai eu peur du jugement des autres. J'ai craint votre jugement. J'avais cependant envie de dire les choses telles que je les avais vécues et telles que je les pensais.

J'ai bien été tentée de calquer mon style et mon ton - sérieux, drôle ou autre - sur celui d'autres auteurs. J'ai toutefois compris que bien que ceux-ci constituent une source d'inspiration, il me fallait accepter qui j'étais en tant qu'écrivaine. J'ai dû faire abstraction de la littérature que je connaissais, la dépasser et cesser de m'y comparer. Par exemple, je ne suis pas poète, bien que ma façon de présenter les choses comporte une part de poésie. Finalement, j'en suis arrivée à la conclusion que je rédigeais une biographie. De ce fait, je devais être entièrement moi-même. Sinon, quel plaisir en aurais-je retiré ?

Ai-je vécu le syndrome de la page blanche ?

Oui, dans le sens où écrire a été par moments difficile. Non, dans le sens où aujourd'hui j'en comprends les raisons.

De façon générale, l'être humain considère qu'il n'y a vie que s'il y a mouvement. Mais, ce n'est pas nécessairement le cas. L'immobilité, le silence et même la mort font partie de la vie et de son processus. Avant que la graine d'une plante ne germe, elle est dans le noir, dans la terre nourricière puis, un jour, elle se développe et devient la plante pour laquelle elle porte le code génétique. Des jours ou des années plus tard, elle mourra pour faire place à une autre.

Avec le temps, j'ai appris à reconnaître quand une vague d'inspiration se tarit et à m'arrêter, à cesser de m'obstiner et de vouloir produire à tout prix. J'ai donc expérimenté des périodes d'arrêt, des moments où rien ne se passait, tout au moins en apparence. Plus tard, je recommençais à écrire. Il m'est arrivé également d'avoir envie d'écrire et les idées pour le faire, tout en étant incapable d'y parvenir pour une des raisons suivantes ou une combinaison d'entre elles :

- *Des efforts trop soutenus ont entraîné parfois un épuisement. Il vaut mieux s'arrêter avant d'être trop fatigué.*

- *Des idées manquaient de clarté. C'est avec le temps qu'elles ont affiché leurs couleurs définitives.*

- *Des aspects de ma vie passée ont ressurgi suite à la révision de certains enseignements. Ils m'ont obligée à les regarder de nouveau pour en tirer de nouvelles conclusions.*

- *Du découragement et même la perte de la foi en ce que je faisais sont venus s'ajouter à ce cocktail d'obstacles.*

Je n'ai pas toujours tout contrôlé, il en est ainsi maintenant et il en sera de même dans le futur au niveau de mon travail de création.

J'ai retiré plusieurs enseignements de cette aventure qu'est l'écriture :

- *Dans la poursuite d'un but, il est nécessaire d'agir et de persister.*

- *L'important dans une vie n'est pas ce que l'on vit mais ce que l'on en fait.*

Il y aura toujours des obstacles et leur beauté réside dans l'occasion qu'ils nous donnent de les dépasser et de grandir. Écrire ce volume a été non seulement une expérience d'affirmation de soi mais également et surtout de soutien par rapport à moi-même. J'ai l'intime conviction que la vie ne nous aide que dans la mesure où nous nous soutenons nous-mêmes. Je vous encourage donc à poursuivre les buts que vous choisirez et à persévérer quant à les atteindre. J'appelle ça mettre un pied devant l'autre, peu importe que ce soit dans l'ordre ou le désordre. N'attendez pas non plus la situation idéale pour le faire. Je suis désolée de vous l'annoncer... elle ne viendra pas. Il revient à chacun d'entre nous d'essayer de faire ce qu'il peut avec ce qu'il a.

Le mot de la fin

Je n'ai pas construit de gratte-ciel. J'avais juste une vie à vous raconter.

Si j'avais à décrire celle-ci en quelques mots, je dirais que le printemps a été difficile, l'été tardif mais que l'automne s'annonce beau. Si j'avais à la recommencer, forte de la connaissance que j'ai acquise, je la revivrais comme elle l'a été. Le plaisir d'un tel enrichissement est de jouir de ce qu'il y a au plus profond de soi, cela ne s'achète pas. Cela se vit tout simplement.

J'ai encore bien des choses à apprendre. Aurai-je assez de toute mon existence pour m'y initier ? Cela n'a aucune importance en soi, que je le sache, car il y a autant de plaisir à parcourir un chemin qu'à atteindre l'endroit où il mène. Alors, je vais continuer de m'adonner à ma passion, celle de la découverte sans fin de qui je suis et de l'une de mes formes d'expression, l'écriture.

Merci de m'avoir donné la possibilité de partager avec vous ce que j'ai vécu...

Liste

1. Jane Roberts

Auteure de plusieurs ouvrages en anglais se référant à l'Entité Seth dont certains ont été traduits en français.

Site Internet : *www.sethcenter.com*

2. EST

Organisation fondée et dirigée par Werner Erhard. N'existe plus.

3. Sciences Cosmiques

Mouvement diffusant les enseignements de Madame Adéla Tremblay Sergerie. N'existe plus.

4. Institut du Développement de la Personne
(anciennement Le Centre Universel du Verseau)

Organisation dirigée par Annie Marquier visant le développement personnel et spirituel à partir des trois niveaux de conscience, soit : conscient, inconscient et supra-conscient.

Téléphone : (450) 242-1961

Site Internet : *www.idp.qc.ca*

Courriel : info@idp.qc.ca

5. Anges Xedah

Entités incorporelles dont les enseignements sont disponibles sur internet. Ils ont fait l'objet de plusieurs livres écrits par Marie-Lise Labonté.

Site Internet : *www.soame.com*

Courriel : info@soame.com

6. Un cours en Miracles (livre), Éditions du Roseau, Canada, 2005

Ouvrage transmettant les enseignements de Jésus. Vous pouvez aussi consulter l'ouvrage de Kenneth Wapnick à ce propos (note 19).

Site Internet : *www.miraclesstudies.net/french.html*

7. Écho

Méthode favorisant le processus naturel de guérison chez chaque individu et mis de l'avant par le Dr. Jean-Charles Crombez et son équipe. Philippe Lévesque, psychothérapeute et membre de l'équipe du Dr. Crombez, anime un atelier sur cette approche au Centre St-Pierre (note 17).

8. Edgar Cayce (1877-1945)

Américain qui en état d'auto-hypnose suggérait divers traitements visant à améliorer la santé d'une personne désignée. Avec le temps, il en est venu à parler de spiritualité. Toutes ses communications ont été conservées pour diffusion.

Site Internet : *www.edgarcayce.org/en_francais*

Courriel : contact@edgarcaycecanada.com

9. Maharishi Mahesh Yogi

Grand voyant qui a enseigné la méditation transcendantale et d'autres techniques de développement de la conscience.

Centre de Méditation Transcendantale

Téléphone : (514) 343-9311

Site Internet : *www.mt-maharishi.com*

10. Mouvement Amérindien

Le mouvement exploré à l'époque était non officiel. Par contre dans la même lignée, il y a Ho - Rites de Passages (note 11). Vous pouvez également consulter le Guide Ressources (note 12) pour identifier d'autres organisations d'inspiration amérindienne.

11. Ho - Rites de Passage

Organisme permettant d'effectuer des rites de passage sous forme de retraites, pèlerinages, marches silencieuses dans le désert ou quêtes de vision, d'inspiration principalement amérindienne ou zen.
Madame Paule Lebrun, membre fondateur de cette école, donne également des ateliers au Centre Saint-Pierre dont *Les femmes qui courent avec les loups* (note 15).

Téléphone : (514) 990-0319

Courriel : *www.ho_ritesdepassage@yahoo.ca*

12. Guide Ressources

Magazine traitant de la santé, de la psychologie et de la spiritualité, disponible dans tous les bons kiosques à journaux.

Téléphone : (450) 646-0060 ou 1 800 463-4961

Site Internet : *www.guideressources.com*

Courriel : receptionguide@vl.videotron.ca

13. Siddha Yoga

Mouvement qui trouve sa source dans le shivaïsme, c'est-à-dire la reconnaissance de la nature divine de l'homme. À sa tête, Gurumayi.

Centre de Méditation Siddha

Téléphone : (514) 735-4494

Site Internet : *www.siddhayogafrance.org*

Courriel : info@siddhayoga.org

14. Sri Aurobindo (et la Mère)
Philosophe ayant exploré la conscience et son développement et qui a inspiré Satprem dans ses écrits. La Mère, sa principale collaboratrice a poursuivi son oeuvre.
Centre Sri Aurobindo
Téléphone : (514) 845-2786
Site Internet : *www.ire-miraditi.org*
Courriel : ire-agenda@wanadoo.fr

15. Centre St-Pierre
Centre d'activités de formation, de perfectionnement professionnel et d'intervention sociale où plusieurs intervenants, selon leur discipline respective, donnent des conférences et des ateliers.
Téléphone : (514) 524-3561
Site Internet : *www.centrestpierre.org*
Courriel : cps@cam.org

16. Marie-Lise Labonté
Auteure de plusieurs livres sur la spiritualité et à la base de la Méthode de Libération des Cuirasses (MLC), elle donne des conférences à ce sujet. Également, elle anime divers séminaires ou formations visant la libération du corps de ses tensions.
Téléphone : (514) 286-9444
Site Internet : *www.marieliselabonté.com*
Courriel : info@marieliselabonte.com

17. La Matrice (film), Warner Bros. et Village Roadshow
Pictures - Groucho Film Partnership 1999. Premier film d'une série de 3.

18. Nell (film), Twentieth Century Fox et Egg Pictures, 1995

19. Introduction générale à UN COURS EN MIRACLES (livre), Kenneth Wapnick,
Foundation for A Course in Miracles, États-Unis, 150 p.

20. Centre de Psycho-Éducation du Québec
Organisme élaborant et diffusant divers programmes à l'intention d'enfants de la maternelle et d'élèves du primaire, visant à leur enseigner à mieux faire face à leurs émotions.
Téléphone : (514) 343-6981
Site Internet : *www.centrepsed.qc.ca*
Courriel : gripcpeq@grip.umontreal.ca

21. Richard Tremblay
Titulaire de la chaire sur le développement de l'enfant à l'Université de Montréal, professeur aux départements de psychiatrie et de psychologie de l'Université de Montréal et directeur du groupe de recherche sur l'inadaptation psychosociale chez l'enfant : Université Laval, Université McGill, Université de Montréal.
Isuma a publié un article dans lequel Monsieur Tremblay donne un compte rendu des diverses opinions ou recherches à propos du développement de la violence chez les jeunes.
Site Internet : *www.isuma.net/v01n02/tremblay/ tremblay_f.shtml*

22. ELNEJ

Enquête Longitudinale Nationale sur les Enfants et les Jeunes, parrainée par le gouvernement canadien qui vise, au fil des ans, à colliger des données sur le développement et le bien-être de ceux-ci.

Site Internet : *www.hrdc-drhc.gc.ca*
Pour en avoir une description, Voir : *www.isuma.net/v01n02/brink/brink_f.shtml*
Il est à noter que le vol 1, no 2 d'Isuma, revue canadienne de recherche sur les politiques, est entièrement consacré aux enfants. Voir : *www.isuma.net*

23. Les Jardins de Findhorn (livre), Communauté de Findhorn, Éditions Le Souffle d'Or, Barret-Sur-Meouge, 1999, 187 p.

24. Le Petit Robert (dictionnaire), Paul Robert, Les dictionnaires Le Robert, France, 2002, 2949p.

25. Ennéagramme de Pythagore

C'est à partir des notes d'une amie ayant suivi un atelier de Francine Dallaire que j'ai connu cette approche. Celle-ci fait l'objet de nombreux livres. Si vous désirez suivre un atelier la concernant, voir le Guide Ressources (note 12) ou le Centre St-Pierre (note 15).

26. Renée Tremblay

Thérapeute en relation d'aide / spécialisation : réorientation de vie et de carrière à partir, entre autres, de la grille de fonctionnement personnel et de la relation d'aide. Membre de la Corporation Internationale des Thérapeutes en Relation d'Aide du Canada (CITRAC)

Téléphone : (514) 270-7170

27. Synthesis Rainbow System

Centre offrant des traitements et des formations permettant un meilleur enracinement des énergies du ciel et de la terre ainsi que la fusion de celles-ci au niveau du chakra du coeur (pilier, guerrier de lumière, Qi spontané, etc.)

Site Internet : *www.woostad.free.fr*

28. Centre de Reiki, Le Soleil Levant

Organisme qui initie au Reiki, Membre de The Reiki Alliance, Système Usui
La Prairie Québec (Canada) J5R 1G3

Téléphone : (450) 444-1155, Micheline Julien

Courriel : michelinejulien@sympatico.ca

29. Anschma

Centre offrant des formations en soins énergétiques et intégration mémorielle dans une perspective de transformation personnelle et d'intervention thérapeutique.

Téléphone : (514) 990-2098

Site Internet : *www.anschma.com*

Courriel : shiva@anschma.com

30. Centre de Yoga Shanti Om

Centre de yoga thérapeutique basé sur l'observation et la respiration et où l'on peut bénéficier de traitements de Shiatsu et de Jin Shin Do.

Téléphones :(450) 660-4053, Élizabeth Parijata-Charbonneau

(450) 530-0170, Francine Lefebvre

31. Cristina Taurozzi

Intervenante en relation d'aide / spécialisation : traitements de Jin Shin Do (acupression) et enseignement du Qi Gong.

Téléphone : (450) 623-3943

Courriel : cristinataurozzi@sympatico.com

32. Les 4 groupes sanguins 4 régimes (livre), Peter J. D'Adamo, Éditions du Roseau, 469 p.

Sommaire

Cet ouvrage a été imprimé
au Canada (Sherbrooke)
en janvier 2006 sur les presses
des Imprimeries Transcontinental S.E.N.C.